Grochola Trzepot skrzydeł

Książki **Katarzyny Grocholi** w Wydawnictwie Literackim

Katarzyna Grochola

Trzepot skrzydeł

Wydawnictwo Literackie

*Patrycji — z podziękowaniem
za piękne towarzyszenie*

Nie martw się. Dotąd nie załatwiłam tych wszystkich spraw, które odkładałam z dnia na dzień, aż zrobiły się bardzo, ale to bardzo zaległe. Jak zwykle. Nie pisałam Ci o tym wcześniej, bo nie chciałam, żebyś się denerwował i powtarzał jak zawsze: „a nie mówiłem?". Ale dzisiaj postanowiłam załatwić wszystko po kolei, od samego początku.

Możesz być ze mnie dumny.

No więc po tym... Ty wiesz, po czym, wydarzyło się dużo rzeczy. Bałam się wcześniej do Ciebie pisać. Ale teraz już się nie boję.

Bałam się od początku. Wszystkiego.

Wiem, że się dziwisz.

Wszyscy zawsze mówili, że taka dzielna ze mnie dziewczynka.

Potem dziewczyna.

Potem kobieta.

Że odważnie zabieram głos, że podejmuję wyzwania. Że wszędzie mnie pełno.

A nawet sama schodzę do piwnicy w wielkim zaszczurzonym bloku.

Wierz mi, to jest najlepszy sposób, żeby ukryć strach. Być taką, hej, do przodu.

Żeby nikt się nie domyślił.

Więc taka byłam. Ale bałam się.

Najbardziej się bałam, że zostanę sama.

Że któregoś dnia okaże się, że w domu nikogo nie ma.

Ale też bałam się, że nie będę sama. Że ktoś wróci do domu i zobaczy, że zamiast się uczyć, czytam po raz któryś *Anię z Zielonego Wzgórza*, a jak można to czytać po raz setny, kiedy się jest zagrożoną z fizyki?

Potem bałam się, że zawsze już będą mnie wyśmiewać, jak wtedy, gdy założyłam się z Elką z piątej klasy, że dzieci powstają „przez miłość". Ona mówiła, że „przez ruchanie".

Nie wiedziałam, która z nas wygrała, ale śmiali się ze mnie.

Potem strach zrobił się *inny*. Potem bałam się, że coś się stanie z rodzicami.

Po śmierci babci dotarło do mnie, że jednak śmierć istnieje.

Ale natychmiast poczułam, że to zawsze dotyczy kogoś innego, dlatego doświadczenie nie ma tu żadnego zastosowania.

Strach przychodził nagle. Znikąd. Na przykład w autobusie wypuszczał ciemne i groźne *coś się sta-*

ło, więc biegłam coraz szybciej i szybciej od przystanku do domu, bo *coś się stało*, ale dom stał na swoim miejscu, nie było pożaru ani karetek, ani policji, nie było wybuchu ani leja po... ale *coś się stało* czyhało na mnie i nie czekałam na windę, wbiegałam na siódme piętro, nie mogłam złapać tchu, bo za drzwiami czaiło się *coś się stało* i...

...i wszystko w mieszkaniu wyglądało jak zwykle, nie było czuć gazu, pokoje na swoim miejscu, łazienka niezalana i nawet balkon nie pękał pod moimi nogami, nie odrywał się i nie leciał w dół, a z kuchni wychylała się mama:

— Boże, dziewczyno, jak ty wyglądasz, po co ty tak gnasz, będziesz chora...

I powoli *coś się stało* chowało czujki i wciągało odnóża, zamieniało się w szary kłębek w kącie pokoju, kłębek, na który można było nie zwracać uwagi, choć nie znikał. *Coś się stało* zrzucało skórę i przygotowywało się do przemiany w *coś się stanie*...

Nie tylko w autobusie, nie.

Gwiazdy takie piękne nad Doliną Kościeliską, do domu gazdów sześć kilometrów, w nocy w górach wszechświat wyciąga do ciebie dłonie, wiesz, że nie jesteś sama na świecie, gdy gwiazdy wiszą nisko i powoli przechodzą z miejsca na miejsce, czasem krótki błysk na niebie...

— Widziałaś?

— Zdążyłaś? Pomyślałaś życzenie?

Joasia, moja przyjaciółka, z zadartą głową zostawała w tyle.

A ja już wiem:

zachód słońca był krwawy, bo *coś się stało*, coś znaczył, coś dla mnie złego, a i ten spadający meteor, który miał być marzeniem, był *coś się musiało stać*, był znakiem dla mnie —

więc rano, skoro świt, a noc nieprzespana, z lękiem leżącym tuż obok, oddychającym cicho, ale nie tak cicho, żebym nie słyszała, więc rano pod drzwi gaździny (wstała już? jeszcze nie? wstała, bo coś słychać), czy mogę zadzwonić do domu, proszę, przypomniałam sobie, że...

— ależ dzwoń, dzwoń, dziecko, ale rano jest...

Czekałam, a trzepotanie rosło, *coś się stało* rozwijało skrzydła...

odbierz, niech ktoś odbierze...

pięć sygnałów...

sześć sygnałów...

nareszcie!

— To ja! — krzyczę w słuchawkę.

I w słuchawce przerażony głos mamy:

— Jezus Maria, czy coś się stało?

Oddycham z ulgą.

— Tak rano? Spieszymy się do pracy, powiedz prawdę, nic ci nie jest?

A mnie przecież nic nie było.

Może mnie nie było...

Powiem Ci, co usłyszałam, jak obwieściłam wszem wobec, że wychodzę za mąż.

— Wiesz, co robisz?

— Zdajesz sobie sprawę, że małżeństwo to odpowiedzialność?

— Czy nie za wcześnie?

— Przecież go prawie nie znasz...

— Co ty wiesz o życiu, dziecko...

— Zastanów się...

Jakby nie pamiętali, że jestem dorosła, że przecież już kiedyś czekałam, że już przecież kiedyś kochałam, on nie był moją pierwszą miłością, pierwszy był Marek i już kiedyś *uważałam*, już było *za wcześnie*, już kiedyś *prawie go nie znałam*, przez dwa lata nie zdążyłam go poznać, już to wszystko było za mną, że nie wiem nic o życiu, teraz był czas, żeby się nie zastanawiać. Teraz to było naprawdę. Chciałam wyjść za mąż. Chciałam być jego żoną. Chciałam, żeby został moim mężem. Nie potrzebowałam niczyjego pozwolenia ani rad. Byłam dorosła.

A ktoś, nie powiem Ci kto, powiedział, ale tak jakoś *inaczej* powiedział, nie tak, że się ucieszyłam:

— No, ty zawsze miałaś szczęście!

Nikt nie powiedział:

— Cudownie!

— Jak pięknie jest kochać!

— To fantastycznie!

I nikt nie powiedział o moim przyszłym mężu:

— Ten to ma szczęście!

Nikt.

— Jeśli już raz był żonaty, to…

— Nieprawda! — krzyczałam, nie słuchałam, ale krzyczałam. — Nieprawda!

Bo ja, tylko ja, wiedziałam, jakie to było dla niego bolesne, jakie straszne, tylko mnie i nikomu innemu opowiedział o cierpieniu i rozczarowaniu i nikt nie miał prawa osądzać go tylko dlatego, że miał już kiedyś w życiu jakąś żonę…

— Och, ona? Krysia się zupełnie nie liczyła — mówiła matka mojego przyszłego męża i gładziła mnie po ramieniu — nie warto o czymś takim wspominać— jej usta wydymały się, jakby mówiła o śluzowatych stworzeniach, przezroczystych jadowitych meduzach — bardzo go skrzywdziła, bardzo, on na to sobie nie zasłużył, prawdę powiedziawszy, ona była niezrównoważona emocjonalnie, ale kto to mógł wiedzieć? Takich rzeczy się nie wie wcześniej — jej spojrzenie obejmowało mnie czujnie i ściskało, ale potem uśmiech szeroki łagodził ten uścisk — no, dosyć o niej, a teraz napijemy się kawki i opowiesz mi o sobie, prawda? Będziemy przyjaciółkami — ręka ześlizgiwała się z mojego ramienia — jeśli mnie posłuchasz — a ja cała zamieniałam się w słuch — będzie dobrze. Herbata? Może być z torebki? Z cytryną?

A ja kiwałam głową, że tak, oczywiście, jej wypielęgnowane ręce sięgały po puszkę, równo ułożone torebeczki herbaty stały w rządkach, choć miała przecież być kawka.

— Pamiętaj — nachylała się konfidencjonalnie do mojego ucha, ciepłe powietrze łaskotało mnie w szyję, pachniała dobrymi perfumami — mężczyzna jest głową, ale kobieta jest szyją, która tą głową kręci…

Decyzję podjęłam sama i o zgodę nie pytałam nikogo. Ktoś kiedyś mi powiedział, że jeśli pytasz, czy wyjść za mąż, to nie wychodź, bo to znaczy, że człowiek jeszcze nie dojrzał, a skoro nie dojrzał do samodzielnej decyzji, to nie dojrzał tym bardziej do wspólnego życia, do wzięcia odpowiedzialności również za drugiego człowieka. Więc chyba oboje nie pytaliśmy nikogo o zgodę, ustaliliśmy termin i powiadomiliśmy rodziców.

Byłam szczęśliwa.

Wiesz, myślę, że od zawsze szukałam kogoś, kto się mną zaopiekuje, przy kim będę się czuła bezpiecznie, niełatwo się do tego przyznać, bo to brzmi jak wyznania pensjonarki. Ale nie chcę Cię oszukiwać, nikogo… A może siebie? Nie tym razem.

Więc przy nim czułam się ważna, jedyna i chroniona.

I kiedy tuż przed północą podniósł słuchawkę w moim domu, a był dopiero trzeci raz u mnie i nie prosiłam, żeby odbierał telefony, byłam tylko zdziwiona, że ktoś tak późno dzwoni. Nikt się nie odezwał, a on, mój przyszły mąż, wiedział już o Marku i śmiał się z niego, już wcześniej mówił: całe szczęście, powinienem mu wysłać kwiaty, że mi ciebie zostawił, a ja kwitłam od tych słów... więc odebrał telefon i powiedział:

— Halo, halo.

I nikt się nie odezwał po tamtej stronie.

I wtedy powiedział:

— Nigdy więcej tutaj nie dzwoń, skurwysynu.

Patrzyłam, jak odkłada słuchawkę, jak uśmiecha się do mnie, wyciąga rękę i głos jego mięknie, przytula mnie do swojej koszuli, obejmuje ciasno i szepcze:

— Nikt cię już nie będzie niepokoił.

Nareszcie! Mężczyzna, który wie, jak postawić granice, jak dać odpór przeszłości, nawet ten *skurwysyn* zbytnio mnie nie zabolał.

Nie. To był objaw głębokiej czułości. On chciał mnie chronić.

Poczuł się jak u siebie — cieszyłam się w duchu. — U mnie jak u siebie, to dobry znak.

Marek, z którym byłam dwa lata, nigdy nie odbierał u mnie telefonu. Więc jakoś mi to zaimponowało.

Oto zakazał im wszystkim nękać mnie głuchymi telefonami, opiekuje się mną, troszczy się o mnie. Cieszyłam się. Idiotka.

Obejmował mnie mocno, wracaliśmy skądś wieczorem, jego kurtka drapała mi policzek, szliśmy wtuleni w siebie, lekko mżyło, ulice były wilgotne, a światła odbijały się we wszystkim, tysiące małych światełek — pod nogami, na mokrych gałęziach, samochodach, płytach chodnika, szliśmy w tym rozigranym mokrym świetle, w powietrzu czuć było nadchodzącą wiosnę, ten deszcz był pożegnaniem zimy, a on mówił:

— Zobaczysz, będziemy tacy szczęśliwi, zobaczysz, teraz będzie inaczej.

W *inaczej* było jego marzenie o normalnym życiu, o życiu ze mną.

Ja też chciałam, żeby było inaczej. Inaczej niż dotąd.

Gdy zapalał lampkę, chowałam się wstydliwie pod koc, ciepło wpływało na policzki, niech mnie takiej nie widzi, ale on zsuwał koc, przytrzymywał moje oporne ręce, szeptał:

— Nie bój się mnie, jesteś moja…

Całował mnie po brzuchu, wtulał głowę w mój pępek, to takie dziwne uczucie, jakby ktoś od środka cię dotykał, niepokojące uczucie, potem kładł tam dłoń, podnosił twarz, patrzył mi prosto w oczy:

— Urodzisz mi dziecko, prawda?

A ja zatapiałam palce w jego ciemnych włosach i nieprzytomniałam ze szczęścia…

— Zobaczysz, będziemy mieli piękny dom, a nasze dzieci…

I widziałam ten dom i nas szczęśliwych, i to *inaczej*, czyli lepiej, pewniej, na zawsze, i dzieci nasze, które tulą się do nas i mówią: mamusiu, tata, tata…

— Wiem, że z tobą będzie inaczej — powtarzał, a serce mi rosło i całe ciało stawało się rozgrzanym sercem, coraz większym, coraz bardziej pojemnym, pęczniejącym, nabrzmiałym, zdolnym do miłości.

— Kocham cię, Boże, jak ja cię kocham, jak nikogo…

Wychodziłam z łóżka, ściągając prześcieradło, przecież naga nie mogłam defilować przy tym świetle i przy jego wzroku, leżał na wznak i śmiał się z moich wysiłków, otulałam się prześcieradłem jak Greczynka, żeby iść do kuchni i nam spragnionym przynieść coś do picia, a on łapał mnie nagle przy drzwiach, podnosił do góry, prześcieradło spadało na podłogę, byłam naga w jego ramionach i zawstydzona…

— Złapałem cię, teraz cię już nie puszczę!

A ja nie chciałam być nigdzie puszczana. I czułam, że to prawda. I to była prawda.

Niestety.

Pamiętam, zawsze mówiłeś, żebym uważała.

Ale ja nie uważałam.

Cyganka podeszła do mnie na ulicy. Miałam siedemnaście lat i kolorową bluzkę. Ostatni guzik rozpinał mi się, jak na mój biust patrzył mężczyzna. Cyganka nie była mężczyzną, ale była duża. Bluzka się nie rozpięła. Wzięła mnie za rękę i powiedziała:

— Chodź, powiem ci, co cię w życiu spotka.

Aha, widzieliście ją! — pomyślałam.

— Nie mam pieniędzy — powiedziałam zgodnie z prawdą.

Nosiłam wtedy torebkę uszytą przez Joasię, Joasia pięknie szyła, torebka była prawie przezroczysta, i nie było w niej żadnych, ale to żadnych pieniędzy. Nic w niej nie było, ładnie wyglądała na moim biodrze. Cyganka powiedziała:

— Wiem.

I dodała:

— Życie masz krótkie, bo zagrożenie wielkie, męża masz niejednego, cudzoziemcom podobać się będziesz... Długie lata spędzisz w ukryciu.

I przestałam jej słuchać, bo nie kochałam się w cudzoziemcu, tylko w jednym chłopaku z Kielc, co kochał się w zupełnie innej dziewczynie, a w dodatku miał kłopoty z erekcją. O czym dowiedziałam się od tej panny, co się w niej kochał, ale cztery lata później. Może nie powinnam Ci o takich rzeczach pisać?

Nie wiedziałeś, że zawsze mnie zaczepiały Cyganki, prawda? Mówiłeś, żeby uważać, ale nie chciałam uważać.

A Cyganka wyjęła talię kart, normalnych, zniszczonych kart, i zapytała:

— Pewno chcesz wiedzieć?

A ja nie chciałam się przyznać, że nie wiem, o czym mam wiedzieć, że nie słucham jej już, że po co te karty na skwerze, przed kościołem Świętego Jakuba, że jeszcze mnie ktoś z nią zobaczy i pomyśli i... i kiwnęłam głową potakująco.

A ona patrzyła na mnie uważnie i rozłożyła karty, i ja nie odeszłam, tylko jak zahipnotyzowana słuchałam, co mówi:

— Patrz, dziewiątka winna przy asie dzwonkowym to kłopoty, to śmierć może, to samo odwrotnie, as winny przy dziewiątce winnej — niebezpieczeństwo, tobie się przyda wiedzieć, a dom to... — i tu stuknęła swoim ciemnym palcem w asa kierowego — ...tu dom twój, odwrócony on jest.

Zawsze byłam ufna, łatwowierna, naiwna. Dzisiaj tak myślę, żeby się usprawiedliwić.

Kiedy pracowałam w centrali handlu... Och, wiesz, lubiłam tamtą pracę i zawsze żałowałam, że odeszłam, i nigdy się oczywiście do tego nie przyznałam. Ale jemu, mojemu mężowi, zależało, żebym nie była przemęczona, żeby to był prawdziwy dom, a zdarzały się wyjazdy, cała radość to były te wyjazdy, w Pradze byłam co dwa miesiące, pewno dzisiaj już bym jeździła po całym świecie... no, ale małżeństwo było ważniejsze, tak zdecydowałam, więc jeszcze w tej centrali poproszono mnie, żebym DHL-em nadała pilnie przesyłkę. W godzinach pracy. Nie było gońca, chętnie się zgodziłam, była piękna pogoda, lipiec, każdy powód był dobry, żeby wyjść z biura i nie siedzieć w dusznym i nagrzanym pokoju, tylko znaleźć się na ulicy gorącej i słonecznej. Miałam służbowe czterysta złotych i dwieście trzydzieści swoich w drugiej przegródce portfela, żeby się nie przemieszały, żeby mi się nie pomyliło.

I na tyłach hotelu Forum zaczepiła mnie Cyganka, powiedziała:

— Powróżę ślicznej pani, powróżę...

Nie byłam śliczna, uśmiechnęłam się, lubię Cyganów, i powiedziałam:

— Dziękuję, nie.

A ona stanęła przede mną, spojrzała mi prosto w oczy i powiedziała:

— Myślisz, że ci coś ukradnę, coś zabiorę, nie masz zaufania?

I wstyd mnie ogarnął, bo rzeczywiście tak pomyślałam, że zabierze, że naciągnie, że ukradnie.

— Daj portfel — powiedziała ona.

Dałam jej ze słowami:

— Tu mam służbowe pieniądze, a tu moje, ale wierzę ci.

Bo chciałam jej udowodnić, że ja, ja nigdy, że ja mam zaufanie, że ja wierzę ludziom, że ja jestem inna niż wszyscy, którzy ich posądzają, oceniają, podejrzewają, omijają z daleka.

I wzięła ode mnie ten portfel, i trzymała cały czas na dłoni, widziałam, że nic z nim nie robi, potem oddała. Wstydziłam się sprawdzić, czy coś nie zginęło, ale go nie otwierała, przecież patrzyłam.

— Widzisz?— powiedziała.

Poszłam nadać tę przesyłkę, siedziba DHL-u była po drugiej stronie Marszałkowskiej, i kiedy wyjmowałam pieniądze służbowe, uśmiechnęłam się, było czterysta złotych, dowód, że ludziom można ufać, choć może zachowałam się głupio, dając jej ten mój czerwony portfel na znak, że nie uważam jej za złodziejkę, ja nie. Więc jednak nie zrobiłam głupio, bo ona teraz wie, że nie wszyscy…

A potem zajrzałam w przegródkę, w której miałam swoje dwieście trzydzieści złotych. Już ich nie miałam.

Ale mogła wziąć wszystko, prawda?

Była właściwie uczciwa.

A ja byłam właściwie szczęśliwa. Właściwie, to dobre słowo. Taka przykrywka do wszystkiego, czego nie chcemy powiedzieć. *Właściwie dobrze*, to znaczy, nie, nie dobrze, ale prawie źle, ale po co ci o tym mówić. *Właściwie zdrowa*, to znaczy chora, może była chora, może jeszcze nie doszła do siebie, więc właściwie zdrowa, ale nie twoja sprawa. *Właściwie myślałam, żeby do ciebie zadzwonić...* to znaczy, nie, nie chciałam dzwonić, ale nie wiem, co powiedzieć, więc słowo *właściwie* i tak da ci do zrozumienia, że nie dzwoń ty również.

Właściwie mam czas — i głos tylko się zawiesza na tym słowie *właściwie*. Jakby to słowo miało swój specjalny akcent, niepolski, lekko przeciągły, śpiewny, następujący po sylabie *wła...* oddzielony pauzą od reszty.

Właściwie — znaczy prawie kłamstwo.

Właściwie nic mi nie jest.

To znaczy jest mi wszystko.

Ale zanim byłam *właściwie* szczęśliwa, to byłam szczęśliwa, a przynajmniej tak mi się wydawało. Choć nie, jeszcze wtedy nie wydawało mi się. Jeszcze wtedy śmiałam się i oczy miałam błyszczące, wiedziałam, że jestem kochana, bo przecież jeśli ktoś tak bardzo chce z tobą być, kochać się, mówić o przyszłości, mieć dzieci, to chyba znaczy, że cię kocha, prawda?

Ślub był właściwie udany, bardzo chciałam, żeby również na samochodzie były blade róże, och tak, wiem, że to sztampa i kicz, ale tak sobie kiedyś wymyśliłam, a w tym dniu marzenia się spełniają, ale on nie kupił tych róż, bladych, które miały leżeć na masce przed moimi oczami, przed oczami innych, tych róż, które miały przyjmować uśmiechy ludzi: „patrz, patrz, do ślubu jadą", nie kupił, taka drobnostka, takie nic, taka obietnica bez spełnienia, nieważna.

— Ojej, zapomniałem, to co, przecież nie rozmyślisz się z powodu takiego głupstwa? Nie psuj nam tego specjalnego dnia! No, nie wygłupiaj się... No, kochanie...

I kochanie udało, że to nic ważnego, chociaż to było dla kochania ważne.

Ale uśmiechnęłam się i dałam się pocałować na przepraszam, bo uznałam, że *nie psuj nam tego dnia* — to są przeprosiny.

To z miłości.

A potem matka mojego męża pocałowała mnie właściwie serdecznie i powiedziała, że to był bardzo ładny ślub, chociaż ślub z Krystyną był bardzo piękny, i przyjęcie jest miłe, chociaż przyjęcie na pierwszym ślubie syna było w wynajętej restauracji, ale tu też jest *doprawdy* bardzo, ale to bardzo miło, i że z całego serca życzy mi szczęścia, bo jej syn jest cudownym chłopcem, choć, oczywiście, Krysia tego nie umiała docenić, ale ja, ja to co innego...

A potem mój teść pocałował mnie serdecznie w oba policzki, klepnął w pośladek i powiedział:

— Zdrowia, zdrowia i szczęścia, bo zdrowie to i ci na Kursku mieli, ha, ha!

I dodał:

— Krysiu.

Choć mam na imię Hanka.

Wyszłam za mąż, mimo że miałam być drugą żoną.

To dobrze, myślałam, to dobrze, bo on już wie, już się sparzył, już zrozumiał, co jest ważne, jakich błędów nie popełniać, a ja wierzę i ufam, i nie boję się, bo przecież nie przekreśla się człowieka tylko dlatego, że był kiedyś żonaty, niedawno i krótko, to była pomyłka, człowiek nie jest doskonały, popełnia błędy, te błędy go nie dyskwalifikują, przecież człowiek może się pomylić, a poza tym to ona odeszła, on nie był winny rozpadu tego związku, tamta żona, Krystyna, odeszła i nawet mu o tym nie powiedziała, nie uprzedziła, nic, po prostu wrócił pewnego dnia do domu, a tam nie ma jej rzeczy, nie ma tapczanu, który był jej i jej książek nie ma ani płyt, i ani słowa; sąsiedzi wiedzieli o wszystkim, pomagali jej się pakować, znosili ten tapczan i te pudła, a on nie wiedział o niczym, jakie to straszne musiało być, jakie upokarzające być musiało, więc to nie jego wina była, to małżeństwo nieudane i krótkie.

I jak się potem nie mógł pozbierać, jak próbował rozmawiać, szukać kontaktu, wyjaśniać, ale niczego się nie dowiedział, bo ona odkładała słuchawkę, kiedy dzwonił, a potem zastrzegła numer, a potem zagroziła, że złoży doniesienie, jeśli ją będzie nękał, nękał! Tylko pozew przyszedł i w sądzie się spotkali. A przecież ludzie powinni się rozstawać w przyjaźni, prawda? Ale ona nawet tej szansy nie dała, tak jakby nie była żoną, jakby przechodniem była w jego życiu.

I on naprawdę cierpiał, właśnie wtedy go poznałam, smutny był i zrozpaczony był, aż bolało patrzeć.

— Już nie zaufam żadnej kobiecie — mówił, a ja wiedziałam, że to nieprawda, bo zobaczy, jaka jestem, zobaczy, że nie wszystkie kobiety są takie.

Chociaż jeszcze wtedy go nie kochałam, tylko serce mi się krajało, że mężczyzna tak może cierpieć.

I nienawidziłam Kryśki, tej jego pierwszej żony, i zazdrościłam jej, że tak ją kochał.

— Ty jesteś moją szansą od losu — mówił i przytulał mnie do siebie, w autobusie linii sto siedemdziesiąt pięć, przy tylnej szybie, i całował mnie w usta, mimo że autobus był pełen ludzi. Pochylałam głowę, a on podnosił mi brodę i mówił:

— Niech wszyscy widzą, że cię kocham.

I wszyscy widzieli, a ja rumieniłam się z rozkoszy.

Za bezwstyd swojego męża się rumieniłam i z radości.

Nie wstydził się mnie.

24

Ja wstydziłam się siebie. Od zawsze.

Postanowiłam do Ciebie pisać, bo tak mi lżej. Nie znasz mnie, mimo że mnie kochasz, jestem pewna. Czułam Twoją miłość, ale nie byłam uczciwa wobec ciebie.

Nie każdemu jest dana taka szansa, żeby choć przez moment pobyć sobą, porzucić to, do czego się przyzwyczailiśmy, każda zmiana budzi niechęć i strach, a sytuacje graniczne, kiedy chcemy być prawdziwi, szybko mijają, codzienna rzeczywistość oblepia nas znowu tym, co znane i dlatego bezpieczne, i jeśli nie wykorzystam tego momentu, przyjdzie jak zwykle, *po co, przecież to niepotrzebne, dobrze było, jak było, zapomnę, czas leczy rany...*

Nie mogę tej chwili przegapić, teraz chcę być uczciwa wobec Ciebie i siebie, więc siedzę i piszę, żeby kiedyś nie żałować, że zrezygnowałam z jedynego w życiu ważnego spotkania. Chcę sobie i Tobie dać czas, bo jak się mamy kochać, skoro za mało siebie znamy, a może nie znamy się w ogóle?

Zacznę pierwsza, a potem obiecaj, że jakoś odpowiesz. Dasz znak. Może dowiem się o tym, czego nie wiem, czego nie potrafiliśmy sobie wcześniej powiedzieć.

Niemożliwe?

Nie czujemy się kochani, dopóki choć jedna osoba na ziemi nas nie pozna dogłębnie. Takimi, jakimi jesteśmy naprawdę, a nie takimi, jakimi chcielibyśmy być.

Więc ja zacznę, a potem może Ty jakoś... dasz mi się jakoś poznać, dobrze?

Choć nie wiem jak. Ale pomożesz, już wiem.

Boże, nie wiedziałam, że to takie trudne. Więc nie chcę kiedyś żałować, że czegoś nie powiedziałam, choć dzisiaj żałuję, że o tyle rzeczy nie zapytałam, chciałabym Cię poznać, ale najpierw chcę, byś ty mnie poznał. To nie jest łatwe, ale zaczynam.

Zacznę od początku, od samiusieńkiego. Zawsze miałam wrażenie, że urodziłam się z dużą raną. W boku. Wiem, że nikt o tym nie wiedział, ale prawie pamiętam, jak pytałam, a nikt nie słyszał tego mojego pytania, skąd ta rana. I ponieważ nikt nie słyszał pytania, nikt mi nie odpowiadał. To była pierwsza straszna rzecz.

Rana była świeża. Cały czas. Tak jakby ktoś zerwał skórę na dobre. Nie naskórek. Z naskórkiem rzecz się ma zupełnie inaczej niż ze skórą. Naskórek można przekłuwać w tę i we w tę, wkłuwać się w niego i nic się nie dzieje. Kiedyś na lekcji matematyki wkłułam szpilki we wszystkie palce i chodziłam na przerwie z rozczapierzonymi dłońmi, budząc zachwyt u chłopaków, bo fajnie to wyglądało. Zakochał się we mnie Mirek, kiedy zobaczył, co mogę zrobić ze swoją skórą i szpilkami. Kochał się zresztą we mnie uparcie przez całą szkołę podstawową, aż się otruł gazem. Nieobowiązująco się otruł, tak samo jak nieobowiązująco mnie kochał. A otruł się nieobowiązująco, ponieważ zostawił otwarte drzwi na klatkę schodową, otwarte drzwi do mieszkania i otwarte drzwi do kuchni, w której wsadził głowę do piekarnika, odkręciwszy gaz. Sąsiadka, z ciekawości, co się dzieje, bo drzwi otwarte, weszła i zobaczyła go w tej kuchence i natychmiast kazała mu wyjąć głowę z piekarnika i wstać. Dzisiaj Mirek jest dyrektorem składu celnego i ma czwórkę dzieci i żonę, która przynosi mu z ulicy zbłąkane psy.

Więc musiałam budzić od początku jakieś silne uczucia, prawda?

Z literatury wynika, że tak jak ów Mirek zwykle robią kobiety. Nie patrzą na nic, tylko wsadzają głowy do piekarnika. Mężczyźni raczej skaczą z bardzo wysoka albo strzelają sobie w głowę, no, w filmach. Niektórzy skaczą i jednocześnie strzelają. Nagrodę Darwina, przyznawaną dla głupców, którzy sami eliminują się z łańcucha ewolucji, dostał jeden pan, który powiesił się na drzewie rosnącym na urwisku nad morzem, przedtem wziął mnóstwo środków nasennych, śmiertelną dawkę, na wypadek, gdyby to powieszenie nie wyszło. I jeszcze na wszelki wypadek strzelił do siebie w momencie, gdy włożył głowę w pętlę. Ale strzelił niecelnie, kula przerwała sznur, na którym był powieszony, a on spadł do morza i wyrzygał wszystkie tabletki, bo opił się słonej wody.

A jak go uratowali rybacy, to się okazało, że nie można go uratować, bo wpadł w hipotermię i nie przeżył, czyli jednak postawił na swoim, mimo że przecież Anioł Stróż zrobił wszystko, co do niego należało.

Ja też jakiś czas temu wzięłam dużo tabletek relanium, bo tylko te mogłam załatwić. Czterdzieści tabletek. Myślałam, że są 0,5, ale były 0,2.

Kiedy połknęłam wszystkie, a była już noc, serce zaczęło trzepotać i to trzepotanie było przerażające. Trzepotanie było coraz szybsze, pobiegłam do kuchni, wypiłam prawie litr mleka i chciałam wymiotować, ale nie mogłam. Wtedy strach powrócił i pojęłam, że to trzepotanie ze strachu, nie z czego innego, bo przecież nawet czterdzieści tabletek nie zaczyna działać zaraz po połknięciu. Kiedy opierałam się rękami o muszlę klozetową i starałam się zachowywać jak najciszej, żeby on się nie zorientował, usłyszałam pukanie do drzwi.

I:

— co ty tam robisz? — zapytał

a ja powiedziałam

— nic, już wychodzę — i wyszłam

...i położyłam się w naszym wspólnym dużym łóżku, chociaż chciałam powiedzieć:

— zadzwoń po pogotowie, zrobiłam głupstwo, niech mi zrobią płukanie żołądka, uratuj mnie…

Ale wtedy już się bałam.

Następnego dnia nie poszłam do pracy, spałam do popołudnia, spałam jeszcze, gdy on wrócił. Powiedziałam:

— Źle się czuję, przepraszam, przepraszam — bo obiad był niegotowy i dodałam: — Musiałam się położyć, przepraszam.

Ale on nie gniewał się na mnie tego dnia, zrobił mi herbatę i dał aspirynę. Udałam, że połykam, a wyplułam tabletkę do szklanki.

Dlaczego połknęłam to relanium?

Bo myślałam, że jestem słaba i że dłużej nie wytrzymam.

Myliłam się.

Byłam silna i wiele mogłam wytrzymać.

Może zrobiłam to z tęsknoty za samą sobą.

Za sobą oderżniętą. Za tą mną, której nie było.

W nocy obejmowałam się rękami, tak żeby przynajmniej ręka tam była, na tej ranie, na tej pustce, z jakiej mnie wycięto.

Kiedyś przeczytałam, że jak się rodzą bliźniaki i jedno z nich umiera, to to drugie tęskni przez całe życie. Może byłam bliźniakiem?

Moja koleżanka miała bliźniaczkę, która urodziła się martwa. Ale ona tak nie tęskni. Poza tym nie ma rany. Zobaczyłam też na zdjęciu siostry syjamskie. Były zrośnięte klatkami piersiowymi — miały ze dwadzieścia lat. Nie można ich było rozdzielić, boby nie przeżyły tego rozdzielenia. A ja przeżyłam. Podejrzewam, że byłam bliźniaczką, tylko nikt mi nie chciał o tym powiedzieć. Żeby mnie nie martwić.

Nie mówiłam wielu rzeczy, żeby Ciebie nie martwić. Ja także.

Wiele osób nie mówiło mi o czymś ważnym, żeby mnie nie martwić. Moja serdeczna koleżanka, żeby mnie nie martwić, nie powiedziała, że sypia z Markiem. To on mi powiedział, prosząc o wybaczenie, ale już było za późno.

Znajdowałam długie jasne włosy na poduszce, ale przecież to na pewno był zwid. Bo tylko ona miała takie długie włosy i na pewno by nie była tu, kiedy mnie nie ma, a jest on.

Wiesz, byłam tak naiwna, że kiedy znalazłam biały pasek, damski, z ładną sprzączką, srebrzysto--czerwoną, to poszłam do Marka z tym paskiem znalezionym w moim własnym domu i zapytałam:

— Czyj to pasek?

A on powiedział:

— Kiedy cię nie było, spali tu Witek z żoną, jechali do Jugosławii, pewno zostawili.

Jugosławia to taki kraj, który był, a którego nie ma. Ale co nas to obchodziło, nas wszystkich, przecież Jugosławia była aż pięćset kilometrów dalej, nie u nas. Jugosławia była ładnym państwem i miała ładne miasta. Ich też już nie ma, bo są zbombardowane.

Więc oni wtedy jechali jeszcze do kraju, który był, a którego już nie ma, a ja schowałam pasek ze srebrzysto-czerwoną sprzączką.

A parę tygodni później Witek z żoną zaprosili mnie z Markiem do siebie, pojechaliśmy do Torunia. Co zrobiłam przede wszystkim? Wyjęłam biały pasek, zwinęłam ciasno, schowałam do swojej zielonej torby i już w drzwiach wyjmuję ten pasek, dumna z siebie, że pamiętałam, że chcę oddać, że Danka mi podziękuje, i trzymam go przed sobą, zadowolona, a ona pyta:

— Co to?

— Twój pasek — mówię z dumą.

Teraz należy mi się pochwała, och, jak to miło, że pamiętałaś, to cudownie, tak lubię ten pasek, zastanawiałam się, co się z nim stało.

A ona patrzy…

patrzy,

patrzy i nie rozumie,

więc dodaję:

— Zostawiłaś, jak lecieliście do tego państwa, co już go nie ma, zatrzymaliście się na noc, bo samolot był wcześnie — przypominam jej, Danusi (żona Witka na imię Danusia miała dość krótko, bo potem miała na imię Ala, po Ali nastąpiła dłuższa przerwa w imionach żon Witka, bo żył na kocią łapę z jedną dziewczyną, która była córką jego przyjaciela. Jego przyjaciela przedtem. Bo jak już zaczął żyć z jego córką, to przestał mieć przyjaciela. Nie ożenił się z córką przyjaciela tylko dlatego, że ona zaszła w ciążę ze swoim kolegą z kursu języka francuskiego. Wtedy Witek był bardzo nieszczęśliwy, ale niedługo), więc przypominam jej, że zostawiła ten pasek u nas, u mnie, jak nocowali.

— Haniu, to nie mój pasek, i myśmy u was nigdy nie spali — powiedziała.

Aha.

Jeśli nie nocowała, to znaczy, że nie nocowała, jasne.

To wystarcza.

Czy myślisz, że choć przez sekundę pomyślałam: OK, to skąd ten pasek?

Nie! Skoro nie był to pasek Danusi — sprawa wyjaśniona. Wrzuciłam go do kosza wiklinowego z brudną bielizną, na sam dół, i to wszystko.

Tak biegło właśnie moje życie — od paska do paska... Od nieustalania, czyj to pasek, do zadowolenia się wyjaśnieniem, czyim paskiem nie jest.

Piszę Ci o tym, żebyś wiedział, jaka byłam naiwna. Zapomniałam o tym pasku, nikomu nie powiedziałam, bo to było nieistotne.

Ten *brak* w moim boku bardziej mnie martwił i przerażał niż wszystko inne. Aż do momentu, kiedy coś się zaczęło dziać w mojej drugiej ranie, ranie między nogami, z której pewnego dnia zaczęła kapać krew. Wiedziałam, oczywiście, wszystko o miesiączce, ale nikt mi nie powiedział, że to coś pięknego, ważnego, najważniejszego w życiu każdej kobiety. Że te parę dni, kiedy wszechświat kieruje moim dojrzewaniem, to są dni magiczne, dni wolności, tajemnicy, niedostępności.

Więc ponieważ o tym wszystkim nie wiedziałam, kładłam między nogi grube podpaski i płakałam ze wstydu, że jestem kobietą.

Ale dzięki Bogu w tym świecie, w którym żyłam i w którym mordowali się ludzie zgodnie z prawem wojny i oczekiwaniami dzienników telewizyjnych („zgodnie z naszymi oczekiwaniami nastąpiło bombardowanie" — mówił spiker) — więc w tym świecie były też noce, a noce służyły do wyobrażeń.

W nocy wyobrażałam sobie, że spadam, lecę z olbrzymiej skalnej półki, i kiedy już już mam się rozbić o ziemię, nagle skądś wyciągają się ręce, które mnie łapią, i miękko ląduję w przyjaznych i ciepłych, mocnych i dużych dłoniach Ratownika.

Nie wzięło mi się to znikąd, o nie.

To było marzenie ubezpieczające, bo zawsze prześladowały mnie niedobre sny.

Podobno w niedobrych snach są najważniejsze wskazówki, ale nie umiałam tych wskazówek odczytać.

Śniły mi się powodzie, które zalewają całą ziemię, a ja uciekam i uciekam przed olbrzymią falą,
coraz wyżej i wyżej, razem z innymi. Najbardziej
boję się tego, że zgubię rodziców, że ich nie odnaj-
dę, ale lęk przed wodą jest silniejszy, więc uciekam,
wspinam się, a wzgórze, na które muszę się wspiąć,
jest gliniaste i nogi cały czas ślizgają się, i co zrobię krok do przodu, to zjeżdżam w dół, i ta woda,
mętna, okropna woda pochłonie mnie, moje nogi,
moje ciało i moją twarz, mnie całą, ale wdrapuję się
ostatnim wysiłkiem i nareszcie mogę spojrzeć na
to, co się dzieje wokół. A wokół z brudnej głębokiej wody wystają takie same gliniaste wzgórza jak
to, na którym jestem, i na tych gliniastych wzgó-
rzach stoją ludzie, stoją moi rodzice, ale woda między nami jest skłębiona jak burzowe chmury i sza-
robura, moje wzgórze jest najwyższe, a woda cały
czas połyka ziemię, na której stoję. Jestem przerażona, tak bardzo przerażona, chcę krzyczeć, ale nie
mogę, więc zamykam oczy i powtarzam sobie: to
sen, zaraz się obudzę, to nie może być prawda, ale
kiedy otwieram oczy, widzę, że to nie sen, i nie ma
już żadnych innych wzgórz, jestem sama w ocea-
nie brudnej wody, która podnosi się pomalutku
coraz wyżej i wyżej, i teraz pochłonie mnie…

Jak się ma takie sny, to nie można sobie wy-
myślić nic cudowniejszego niż ręce silne, uskrzy-
dlone, które cię z tego wzgórza przeniosą gdzieś,
gdzie będziesz bezpieczna… Ręce Ratownika.

Więc wyobrażałam sobie, że ktoś mnie uratuje.

Tak sobie wyobrażałam przed snem zawsze.

Co Ty sobie wyobrażałeś przed snem, gdy byłeś dzieckiem? O czym śniłeś? Jak zasypiałeś, kiedy byłeś malutki? Co ci czytano do snu i co jadłeś na śniadanie?
Powinnam to wiedzieć, nie znam Cię.

Potem, co prawda, jak on mnie kopał i leżałam twarzą na dywanie, udawałam, że mnie nie ma, żeby jeszcze kopnął tylko raz, no, może dwa, bo jak się nie będę ruszać, to jaka będzie przyjemność z tego kopania, że kawy w domu nie było, leżałam cichusieńko na tym dywanie i w ogóle się nie ruszałam, i rzeczywiście, kopnął tylko trzy razy, a potem mnie zostawił, jeszcze tak chwilkę leżałam, bo mogło mu się coś odmienić, ale jak leżałam, to był właśnie ten moment, żeby Tamten mnie ocalił. Ale go nie było.
Zapomniał? A może myślał, tak jak ja, że skoro wyszłam za mąż, to mąż mnie ocali czy wybawi, czy uratuje, czy będzie chronił? Ale mężowie, których znałam, nie byli od chronienia, tylko od bicia i krzyków. Najpierw mówili: nigdy cię nie skrzywdzę. I to już powinno być dzwonkiem alarmowym, bo przecież człowiek, który nie ma zamiaru skrzywdzić, tak nie mówi.

No, czy jeśli spotykasz człowieka, to zapewniasz go od razu, że go nie zabijesz?

Że mu nie przypalisz papierosem brzucha?

Albo uprzedzasz kobietę, że jej nie uderzysz w twarz, tylko dlatego że włożyła spódnicę, a nie spodnie, a przecież *tak prosiłeś*?

Albo że jej nie uderzysz w głowę otwartą dłonią, mocno, w sam czubek, tak że gwiazdy przenoszą się do tęczówek, bo włożyła spodnie, nie spódnicę, a przecież *tak prosiłeś*?

Albo że nigdy nie powiesz, ty *zajebana kurwo*?

Prawda że nie?

Jak jest smutno, to wszystko choruje. Obce psy mają smutne oczy. Obce koty mają wypukłe brzuchy. Od robali. Kiedy rzygają, to widać małe tłuste krótkie glisty, obłe płazińce jakieś, których nazw próbowała mnie kiedyś nauczyć pani od biologii.

Moja pani od biologii charakteryzowała się tym, że mówiła monotonnie — temat ryby, powtarzam, temat ryby, powtarzam, zapisaliście, ry-by, nie śmiej się, Piotrek, powtarzam, nie śmiej się, bo nie będę powtarzać.

Piotrek się już nie śmieje, bo ma stwardnienie rozsiane. Żona wkłada w jego bezwładne usta papierosa, drugim kącikiem ust cieknie ślina, nie może mówić, bełkocze, wstydzi się nas, kolegów z klasy. Nie wiem, czy pani od biologii żyje. Bo pani od historii ma się dobrze. Powtarzam, ma się dobrze. Ktoś ją widział — ma platynowe włosy i mało zmarszczek. Uczyła nas trudnych słów. Synkretyczne formy, paralelność wydarzeń, szczególnie tych z drugiej wojny światowej.

Wojna światowa to był jej konik. Miałam wrażenie, że czasami żałowała, że ta wojna się skończyła.

Inne wojny na świecie się nie pokończyły, a niektóre nawet nie zaczęły.

Ale cóż to ma za znaczenie, skoro biją się czarni. Albo żółci. Albo prawie czarni. Albo Arabowie.

Ja nie muszę o nic walczyć.

— Wolę Araba, bo on przynajmniej nie udaje człowieka — mówił mój wykształcony mąż i śmiał się serdecznie.

A ja jeszcze udawałam, że się uśmiecham.

I usta miał pełne prawdziwych zdań. Że.

Że nie należy specjalnie się złościć.

Że nie należy ukrywać swoich prawdziwych uczuć.

Że nie należy się chować przed światem.

Że nie należy się martwić.

Że mamy tylko dzisiaj.

Więc nigdy nie odkładaj bicia na później.

Na jutro.

Jutro przecież mogło nie nadejść.

Ale to było potem.

Na razie jeszcze nie widziałam, że świat się zmienia, zmniejsza, kurczy. Na razie wiedziałam, że mnie mój mąż kocha. Jak człowiek kocha, to nie chce się rozstawać z ukochaną osobą, prawda?

Ach, jaki przyjemny wieczór przede mną, Joasia załatwiła dwa bilety na przedstawienie Lupy.

— Hania, pójdziemy sobie razem, a potem po-poplotkujemy do woli, znam taką fajną knajpeczkę na tyłach Wielkiego, tyle mam ci do powiedzenia, tak dawno nie miałaś dla mnie czasu, tak się cieszę, możesz?

— Jasne!

— Idziecie same?

Jeszcze nie słyszę w tym pytaniu niczego, co mogłoby zaniepokoić.

— Tak, popatrz, ona pamiętała, że chciałam to zobaczyć, grają tylko dwa razy, to cud, że załatwiła bilety, czeka się całymi miesiącami!

Podskakuję z radości, otwieram szafę, włożę tę czarną i szal czerwony, albo nie, tę czarną, ale brązowy szal, czerń z brązem to szlachetne połączenie.

— Myślałem, że ten wieczór spędzisz ze mną.

Ręka wyciągnięta w stronę wieszaka zaczyna mi ciążyć.

— Ja też, ale w ostatniej chwili zadzwoniła…

— Oczywiście, zrobisz, jak zechcesz.

Smutnieje, patrzy na mnie z wyrzutem, podchodzę do niego, przytulam się do niego, jest wspaniały, dobry, mądry i czuły.

— Wiesz, od trzech lat chciałyśmy to zobaczyć — cieszę się, a nie powinnam, bo on wymyka się mojemu dotykowi, odwraca ode mnie i siada na fotelu. Głowa opuszczona, ramiona zwiędły.

— Nie gniewaj się, nie gniewaj się, kochany, jasne, że wolałabym z tobą — to jest niewinne kłamstwo, cieszę się, że będę z Joasią, w ogóle nie mamy czasu dla siebie, tyle się dzieje, trzeba się podzielić tym dzianiem, tym nowym życiem, kiedyś Joasia wiedziała wszystko na bieżąco, a teraz nie wie, więc nagadamy się do woli — ale czy to nie wspaniałe, że pamiętała?

— Ja też o tobie pamiętam. — Głos twardnieje, a przecież nie mówię o nim, mówię o Joasi, mówię o niej, swojej przyjaciółce, która zna mnie od lat, więc przykładam szal czerwony i uśmiecham się.

— Ten?

— Nie wiem.

Siedzi teraz ze schyloną głową, a ja przymierzam buty, lekki obcas uszlachetnia od razu moją czarną sukienkę, leciutko przeciągam błyszczykiem po ustach. Brązowy szal będzie lepszy, elegantszy.

— Ona jest ważniejsza niż ja.

Widzę za sobą w lustrze jego twarz, smutną twarz odrzuconego mężczyzny, stanął za mną, w lustrze jesteśmy razem, ładna z nas para.

— Co ty mówisz? — patrzę mu w oczy przez lustro.

— Myślałem, że wypijemy drinka, posłuchamy dobrej muzyki — wyciąga rękę, poprawia mi ten szal, opadł z prawej strony, a ja czuję ciężar jego dotknięcia. — Wolałbym spędzać z tobą więcej czasu, robię wszystko, żeby tak było, ale skoro ci nie wystarczam, skoro jednak ona jest ważniejsza... — powtarza, jakbym tego nie usłyszała za pierwszym razem. — Idź, idź już, jeśli chcesz...

Nie chciałam.

Albo dzień malejący, zapadający w zmierzch, trzymam kurtkę w rękach, wrócę za dwie godziny, Joaśka namówiła mnie na ćwiczenia, we wtorki i czwartki, tylko osiemdziesiąt złotych miesięcznie, a ona po ciąży musi wrócić do formy, a i mnie by się ruch przydał, więc torba z dresem przygotowana, tylko kurtkę założyć i wyjść, a on za mną:

— Co jest tak pilnego, że dezorganizuje nam życie?

Mięknę przy drzwiach, to tylko dwie godziny, przecież nie odchodzę na zawsze! Wychodzę na dwie godziny!

— Przykro mi, że tak mnie traktujesz.

— Ja? Ja przecież chcę być dla ciebie ładniejsza, atrakcyjniejsza, ludzie wychodzą z domu, nie siedzą cały czas razem, nie trzymają się wiecznie za ręce...

— …jeśli przestają się kochać — kończy, i wiem, że kurtkę trzeba odwiesić, a dres schować na dole w szafie, w sypialni, tam jest jego miejsce.

I tak przestałam się spotykać z Joasią, znajomymi, przyjaciółmi.

Nawet tego nie zauważyłam. Ten proces przebiegał powoli. Niepostrzeżenie.

Wiem, jak to brzmi, ale to prawda. Kiedyś przeczytałam, że jeden pan przyszedł po suto zakrapianym sylwestrze do domu i postanowił się wykąpać. Wszedł do wanny i leżał, a woda stygła… Ale on nie chciał wychodzić z wanny, więc odkręcił kurek z gorącą, która maleńkim strumyczkiem ogrzewała wannę…

Woda leciała i szumiała przyjaźnie, a jemu było coraz lepiej, coraz spokojniej, coraz bezpieczniej, coraz cieplej i cieplej, coraz milej.

I zasnął.

Rano, jak go wyciągali, ugotowane ciało odchodziło od kości.

Właśnie tak było ze mną.

Coraz ciszej się cieszę, że gdzieś razem wychodzimy.

— Przecież na nas czekają — mówię łagodnie, czekają na nas rodzice, on wychodzi z łazienki, miał się przebrać, ale się nie przebrał, coś gorzej się czuje, jest zmęczony, ale jeśli chcę iść sama, proszę bardzo.

— Mogę oczywiście zostać sam, nie przejmuj się mną.

Słyszę, co mówi. Naprawdę mówi:

— Nie zostawiaj mnie, przecież widzisz, co się dzieje.

I na to odpowiadam, nie na tamto zdanie, choć nie było pytania.

— Przecież cię nie zostawię, zadzwonimy, przełożymy...

— Nie, nie przejmuj się mną, Kryśka to samo robiła...

A ja patrzę na niego i rozumiem wszystko, i widzę człowieka, który mnie kocha, tak bardzo kocha, przytulam się i mówię:

— Ja jestem inna, przecież cię nie zostawię, kochany, oczywiście, że zostanę z tobą.

A on się rozjaśnia, znika ten mars z jego czoła i patrzy na mnie z czułością.

— Przecież możesz spotykać się, z kim chcesz...

Więc wolałam nie.

— Możesz robić, co chcesz! Widzę, że się zmieniłaś, że już ci nie wystarczam!

— Co ty mówisz, jesteś dla mnie wszystkim, dlaczego masz do mnie pretensje?

— Jak możesz tak mówić? Dlaczego mi coś wmawiasz!!!

Mężczyzna zraniony. Widziałam, co się z nim zaczynało dziać, ale potem przytulał mnie i powtarzał:

— Ja cię kocham, ja ci wierzę, wybacz, skojarzyło mi się z przeszłością, wybacz mi, kochanie moje, ty jesteś inna...

I powoli stawałam się *inna*...

Jeszcze pamiętałam jego delikatne ręce, które mnie rozbierały, jego głos nabrzmiały pożądaniem i jego czułość, kiedy powtarzał:

— Nie wstydź się, kochana, nie wstydź się...

A ja zamykałam oczy, pewna, że skoro ja nie widzę, to on też mnie nie będzie widział, bo przecież byłam naga i choć chciałam tego, to chciałam jakoś inaczej, a jego ręce wyłuskiwały mnie z tych różyczek, którymi usiana była pościel, wydobywały mnie z tych kwiatów, wydobywały mnie ze mnie samej, wystawiały na widok moje piersi, mój brzuch zawstydzony, a on trzymał rękę w moich włosach i powtarzał:

— Nie wstydź się, jesteś moja — a ja roztapiałam się pod wpływem tych słów, wykapywałam mu przez palce, bezwolna i szczęśliwa.

Kiedyś, na samym początku, postawił mnie przed lustrem, stanął za mną, staliśmy tak we czwórkę, my tutaj i oni tam — w lustrze, ona była speszona, odwracała się do niego, tego za jej plecami, a on ją przytrzymywał, śmiał się i mówił:

— Przyjrzyj się mojej kobiecie, jest piękna, popatrz...

I patrzyłam na jego kobietę, której opuszczał bluzkę na ramiona, najpierw rozpinał guzik po guziku, a potem nagłym ruchem ściągał, widziałam stanik na jej niedużych piersiach, ta kobieta, jego kobieta, w lustrze była zawstydzona, łapała go za ręce, coś szeptała, może:

— Co robisz?

I odwracała do tyłu głowę, a on śmiał się i jego ręce przytrzymywały jej ręce, mocne dłonie mężczyzny, który wie, co robi, co chce zrobić, więc jedna ręka przytrzymywała jej ręce, a druga delikatnie gładziła ją po piersiach, tamta ona opuszczała głowę, nie chciała patrzyć, a tamten on podnosił jej brodę do góry, schylał swoją głowę, całował ją w szyję, a potem jedno ramiączko stanika opuścił aż na łokieć, drugie również, piersi wychyliły się do nas, stojących przed lustrem, a on z twarzą w jej włosach mówił:

— Popatrz, jest tylko moja i zawsze będzie moja. Ma piękne włosy, które są moje, i oczy, będę dla niej jedyny i nigdy jej nie skrzywdzę. Będę ją kochał zawsze i ona nigdy nie zawiedzie mojego zaufania, prawda?

Stałam tam dumna i zarumieniona już z pożądania. Jeśli ma się przy sobie mężczyznę, który tak na ciebie patrzy, dla którego jesteś wszystkim, to świat jest miejscem bezpiecznym i dobrym, nareszcie.

Nigdy nie zawiodę twojego zaufania, nie zrobię nic przeciwko tobie...

Będę robiła wszystko przeciwko sobie.

Mam przyjaciela, jest malarzem, w Szwajcarii. Miałam, zanim wyszłam za mąż, oczywiście.

— Przyjaciel? Co mi za bzdury opowiadasz! Nie ma przyjaźni męsko-damskich! Komu ty to mówisz! Co mnie obchodzi jakiś facet! Pewnie chce cię przelecieć, mnie nie oszukasz!

Więc *miałam* przyjaciela.

Żył tam od lat, czasami przyjeżdżał do Polski. Kiedyś mi powiedział, że znalazł wspaniałą pracownię, znajomi mu wynajęli schron przeciwatomowy, tam co trzeci obywatel ma własny schron, więc oni mu go wynajęli, żeby się ten schron nie marnował, skoro nikt nie zamierza zrzucić chwilowo bomby atomowej.

Był zachwycony.

Malował, malował, malował. Coraz bardziej odcięty od świata, coraz lepsze obrazy. A któregoś dnia zobaczył, że pędzle rozcapierzyły się wszerz, wzdłuż i w poprzek schronu i gubiły włosy, a jego przeraża myśl, że mógłby wyjść, pojechać do sklepu i kupić nowe. Pędzle rozpanoszyły się, płótna urosły, farby zaczęły wychodzić z tub, ale przede wszystkim te pędzle...

A potem zorientował się, że to nie chodzi o pędzle.

Był po prostu przybity ograniczonym stałym niezmiennym widokiem z okien.

Których nie było.

Ja też byłam przytłoczona niezmiennym widokiem.

Przecież nic nie ma złego w tym, że człowiek chce spędzać czas tylko z osobą, którą kocha. Przecież to nie jest nienormalne. Zależy mu. Nie traci czasu na niepotrzebne rzeczy.

Przecież po ślubie zmienia się wszystko.

Trzeba iść na kompromis.

Już nie jesteś sam.

Już musisz liczyć się z drugą osobą.

Nie robisz tego, co chcesz.

Chyba tak jest właśnie.

Choć skąd miałam to wiedzieć?

Przychodził chmurny z pracy, czasem godzinę po mnie, zdejmował marynarkę, całował mnie w policzek byle jak, a potem siadał przy stole, nie uśmiechał się. Ale przecież wszyscy się raz uśmiechamy, a innym razem nie, więc szybciutko, przecież na pewno miał ciężki dzień, stawiałam obiad na stół, patrzyłam na niego, rozchmurzy się czy nie? Odezwać się czy nie? Bo czasami wolał milczenie, nigdy nie wiedziałam, co jest lepsze.

Dlaczego nic nie mówisz?

Dlaczego mówisz bez przerwy?

Na kogo wypadnie, na tego bęc...

Pamiętasz?

Jakie to piękne słowo, pod warunkiem, że ma się do kogo je powiedzieć...

Pokonałam kiedyś strach. Raz. Na Podhalu. Spędzałyśmy po maturze wakacje z Joaśką, jak zwykle w górach. Gospodyni poprosiła, żebym przyniosła wody ze studni. Mieszkałyśmy u niej dwa tygodnie i wodociągi zawsze działały, a tego dnia coś się stało. Joasia poszła do sklepu, więc musiałam sama iść na podwórko, na tyłach domu, a tam był Bardzo Zły Pies Łańcuchowy. Pies morderca. Pies, którego należało się wystrzegać.

— Tylko uważać na psa, bo zły, poszarpać może! — krzyknęła za mną obszerna gospodyni; jej nogi były grube w kostkach od opuchlizny.

Szłam do studni szerokim łukiem, pies leżał koło budy, skołtuniony, szary, podniósł głowę i patrzył na mnie. Na skrzypnięcie korby zastrzygł uszami, a potem położył łeb na przednich łapach. Pies morderca cały czas patrzył na mnie smutnym spojrzeniem bitego psa. Bałam się, postawiłam wiadro na cembrowinie i spojrzałam w dół, jakby tam mogło być coś lepszego od jego wzroku, ale tam był taki sam wzrok, tylko że mój.

Nie chciałam mieć takiego spojrzenia.

Wiadro z wodą zakolebało się i przechyliło. Wolno spadało w dół, mącąc mój wizerunek. Korba zawirowała, odskoczyłam, pies usiadł i koniec ogona drgnął nieśmiało. Puste miski z zielonkawym nalotem pleśni stały obok niego. Podciągnęłam raz jeszcze wiadro, woda była przejrzysta i chłodna. Łańcuch drżał, pies drżał również, woda szerokim strumieniem błysnęła w słońcu, kiedy przelewałam wodę ze spętanego łańcuchem wiadra w puste wiadro, pies zaskomlał. Jedno, drugie... Już. Chwyciłam wiadra, były ciężkie. Odwróciłam się w stronę domu. Skomlenie przeszło w cichy skowyt. Proszący. Postawiłam wiadra na ziemi, woda chlupnęła mi pod nogi. Podeszłam do misek. Pies się cofnął i skulił, i tylko te oczy... Miska była oblepiona czymś tłustym i śmierdzącym. Wróciłam pod studnię, szorowałam ją piaskiem, aż wyłoniła się spod tej skorupy biała emalia, obtłuczona w paru miejscach. Nalałam wody i postawiłam koło psa, choć wiedziałam, że się rzuci i rozszarpie mi gardło.

Przytulił się do ziemi. Przywarł.

Tylko koniec ogona... trochę.

Wyciągnęłam rękę.

Powoli podniósł głowę.

Wiedziałam, że mi odgryzie dłoń.

Zamarłam.

Zimnym nosem dotknął koniuszka moich palców, a potem cofnął się i zaczął chłeptać wodę. Pił i pił, aż wypił wszystko... Wreszcie spojrzał na mnie raz jeszcze, wyciągnęłam rękę. Musiał mieć pewność.

Ja też musiałam mieć pewność.

Wieczorem przekradłam się na podwórze, w stronę psiej budy, z kawałkiem chleba i kiełbasy skrzętnie ukrytym przed okiem gospodyni. Pies szczeknął krótko, kiedy zobaczył, że to ja, rozpłaszczył się na ziemi, a był duży, i zaskomlał. Miał stulone uszy i wtedy przemknęło mi przez myśl, że ja nigdy nie będę skomleć ani kłaść po sobie uszu.

Miał ciężkie łapy, ciemne od brudu, w sekundę pożarł chleb i kiełbasę, a potem lizał mnie ciepłym językiem po twarzy, kiedy kucnęłam obok niego, przewrócił się na grzbiet i wystawił na pokaz swój brzuch ciężki i szary od błota. Głaskałam go po tym brzuchu, to nie była jego wina, że był taki brudny. Na pewno nikt go nie głaskał, a on pod tą brudną skorupą czekał i czekał...

Może w tym czekaniu byłam podobna do niego. Wszystko miało zacząć się jutro.

Od jutra świat miał być dobry. Jutro miałam postanowić, zmienić, zobaczyć. Jutro miał być lepszy dzień.

Nigdy dzisiaj.

I wtedy wyszła gospodyni, krzyknęła, pies natychmiast stanął na sztywnych nogach, między mną a nią, i zaczął warczeć. Z sieni wyszedł gospodarz. Był tak pijany, że ledwo się trzymał na nogach, w ręku mocno trzymał kij.

— Odsuń się, on zeżreć człowieka potrafi, odsuń się, głupia!

Gospodarz zrobił krok do przodu, a wtedy pies śmignął w jego kierunku jak błysk flesza, na długość łańcucha, a łańcuch pociągnął go do tyłu, jakby ktoś nim szarpnął.

Nie chciałam tak. Nigdy.

Dziś tutaj zrobiłam porządek w papierach, wszystkie stare rachunki telefoniczne, wszystkie stare rachunki za gaz i elektryczność, wszystkie stare wyciągi bankowe, wszystkie zaświadczenia sprzed lat i dowody wysyłania listów poleconych do ludzi, których nie znam — wszystko to przejrzałam, uporządkowałam, a potem wyrzuciłam, sprawdzając dokładnie daty. Zostawiłam tylko zawiadomienia z banku, ostatnie.

Trzy szafki są już puste, a ile tam było kurzu, nie wyobrażasz sobie.

Nie wiem, co mam zrobić ze starymi monetami, leżą sobie w blaszanym pudełeczku po cygarach, jakich już nie ma od dawna na świecie; ani takich pudełeczek, ani tych cygar. Zostawiłam je na razie. Nie mają żadnej wartości, ale głupio wyrzucić.

Jak byłam mała, miałam takie pudełko. Było podłużne, dużo węższe i dłuższe niż to; nie mam pojęcia, po czym było to pudełko lub do czego było takie pudełko. Dla mnie było do piór ptasich, znajdowanych na ulicy albo na plaży, albo w trawie, albo na balkonie, i do kamieni. Jakby jedno musiało zrównoważyć drugie, tęsknotę za lataniem z przyziemnością.

Miałam dużo tych piór, nawet jedno pawie, ono leżało na samym dnie, było delikatne, okrągłe i mieniło się złotem i szmaragdem; bardzo je lubiłam, choć na bokach od leżenia miało powyginane włoski. Każde pióro, nawet gołębie, jeśli przyjrzeć mu się w słońcu, lśni niespotykanymi kolorami, każde. Szare również.

Kamienie zawinięte były w bibułki po pomarańczach, bo ładnie pachniały. Nie wiem, co się stało z tym pudełkiem, nie pamiętam.

Niewiele pamiętam z dzieciństwa. Jakbym od razu była dorosła.

Jakbym niespostrzeżenie dla wszystkich dorosła.

— Ach, jaka ty jesteś duża! — krzyknął ktoś na mój widok, to pamiętam.

Rzeczywiście byłam już duża. Ale rana urosła razem ze mną. Brak był większy i coraz bardziej dotkliwy.

Obudziłam się pewnej nocy i postanowiłam uciec z domu. Poszłam do pokoju rodziców. Spali. Nie mogłam ich obudzić, na pewno nie pozwoliliby mi odejść. A może właśnie by pozwolili. Jedno i drugie było bolesne. Jakby pozwolili, to może wtedy by się wydało, że tęsknią za tamtą — odkrojoną, a ja jestem tylko dodatkiem. Patrzyłam na ich śpiące twarze. Nie wyglądali na szczęśliwych.

Nie chciałam tak wyglądać.

Gdyby mi pozwolili odejść, to uciekając, zrobiłabym to, na co mi pozwalali. Więc może nie uciekać, żeby im się nareszcie sprzeciwić. Czyli zostać z nimi, czego przecież tak naprawdę chcieli.

Jestem na wyspie, na której wszyscy kłamią. Jeśli na niej jestem, to znaczy, że kłamię, mówiąc, że kłamią, czyli że mówię prawdę, ale jeśli prawdą jest to, że wszyscy kłamią, to ja też kłamię, kłamiąc, że wszyscy kłamią, czyli mówię prawdę...

Mama spała spokojnie. Głowę miała odchyloną, jakby spoglądała na kilim wiszący nad. Ale nie patrzyła na kilim, bo miała zamknięte oczy. Jej prawa ręka przytulona była do poduszki. Ojciec leżał tyłem do niej. Zajmował więcej miejsca. Rozpychał się. Nie chciałam, żeby ktoś leżał tyłem do mnie i zajmował więcej miejsca. Pomyślałam — kocham was, ale może to nie ja was kocham, bo może ja, to nie ja. Więc jak wrócę, to będę wiedziała. I zamknęłam za sobą cicho drzwi.

Ale nie uciekłam, jeszcze nie wtedy. Zeszłam po cichu na dół. Otworzyłam drzwi i wyszłam na ulicę. Było naprawdę wcześnie. Piekarnia na rogu produkowała zapach świeżego chleba i bułeczek-dupeczek. Chrupiących i dużych, z rowkiem w środku. Z tej piekarni biegł kiedyś rano brat mojej najlepszej przyjaciółki, kiedy przejechał go samochód. Bułki się rozsypały, a on nie żył. Jego mama nie zauważyła, że ma jeszcze córkę. Położyła się na sofie w stołowym pokoju i powiedziała: nie mam dziecka, nie mam dziecka. Od lat już nie wstawała z tej sofy. Marysia siedziała przy niej przez pierwsze miesiące i mówiła:

— Masz jeszcze mnie, mamo.

Ale jej mama powtarzała:

— Nie mam dziecka, nie mam dziecka.

Marysia wróciła do szkoły i zaczęła normalnie żyć. Ale jej mama nie. Tak leży do dzisiaj w stołowym. Marysia udaje, że żyje normalnie. Że nie jest sierotą. Nikt o tym nie wie, ale jej mamę również przejechał ten samochód co Krzysia. I Marysia straciła nie tylko brata, ale i mamę. Ale najgorsze było to, że nikt się nie zorientował.

Bułeczki pachniały wspaniale, kupiłam osiem.

— Gdzieś ty była! — przywitało mnie od drzwi. — Dlaczego nic nie powiedziałaś! Niedobre dziecko!

Wyciągnęłam w obronnym geście te bułki, ale nie miałam poczucia krzywdy, chciałam wszak uciec.

A mamie zrobiło się przykro, że ma taką dobrą córkę, a nakrzyczała na nią, przytuliła mnie w drzwiach przepraszająco, ale nie musiała mnie przepraszać, bo i tak wiedziałam, że ucieknę. Kiedyś.

Ta piekarnia niedobrze mi się kojarzyła. Nad piekarnią mieszkał Andrzej, był starszy ode mnie o parę lat, ale kiedyś, dużo, dużo wcześniej, chwycił mnie w bramie i powiedział: pocałuję cię. Pomyślałam sobie, że to wstrętne, będzie mi wkładał język do buzi, bo tak mówiły dziewczyny, i powiedziałam: nie. Ale on powiedział: nie bój się, kazał mnie przytrzymać kolegom i szepnął, że mnie kocha. Wyjął chusteczkę. Jego koledzy mnie mocno trzymali za ręce, a ja pomyślałam, że jak podejdzie do mnie, to go kopnę. Ale położył sobie chusteczkę na ustach i pocałował mnie, zanim go kopnęłam.

Od tej pory nawet nie przechodziłam koło piekarni.

Więc skoro po tym wszystkim odważyłam się iść do tej piekarni, mimo że było rano, to znaczy, że odważę się też na inne rzeczy.

Wtedy chyba ostatni raz widziałam rodziców śpiących obok siebie. Wkrótce potem tata znów na rok wyjechał.

— Poradzimy sobie, prawda? — mówiła do mnie mama, a ja kiwałam głową, bo dlaczego miałybyśmy sobie nie poradzić?

Przecież życie się nie skończyło, trwało dalej, tak samo trzeba było iść do łazienki i się wysikać, kiedy chciało się sikać, i jeść, kiedy był obiad, i trzeba było sprzątnąć po sobie naczynia, i czasem odkurzyć dywan w dużym pokoju. Odrabiać lekcje, chodzić do szkoły. Wszystko było jak przedtem, kiedy nas było troje.

Właściwie nic się nie zmieniło.

I nagle dostałam dużą lalkę, która udawała małe dziecko, jechałam z nią tramwajem, zaczęła płakać, jakiś pan chciał mi ustąpić miejsca, nie wiedziałam, co zrobić, czy pokazać mu, że to lalka — wtedy być może na drugi raz nie ustąpi miejsca kobiecie z dzieckiem — czy zakryć kocykiem lalkę i udawać, że to żywe dziecko, niech wie, że zrobił dobrze, że bardzo dziękuję, chociaż jeszcze jestem nieduża.

Zakryłam twarz kocykiem i udawałam.

Mama bardzo się rozpłakała, kiedy zobaczyła mnie z tą lalką.

Nie wiedziałam dlaczego.

A to przecież miłe, że jej mąż, a mój ojciec pamiętał, że marzyłam o niej od wielu miesięcy.

Była strasznie droga.

Dotychczas słyszałam tylko:

— Nie stać nas na to, nie rozumiesz?

Lalce można było opowiadać godzinami o wszystkim.

I nie słyszało się: Sama jesteś sobie winna.

Albo: Nie zawracaj głowy matce, nie widzisz, że ma dosyć kłopotów?

Albo: Oj, ja już tam wiem, jak z tobą jest, najpierw prowokujesz, a potem się skarżysz...

Albo: Na miłość boską, radź sobie sama, przecież jesteś już duża!

Albo: Czy ty nie widzisz, że matka ledwo sobie daje radę? Nie masz serca!

A ja chciałam mieć serce.

Rodzina to jest coś najważniejszego, nie można jej bezkarnie założyć, a potem bezkarnie odłożyć, zlikwidować, nie pamiętać, nie czuć się zobowiązanym, rodzina to jest coś świętego, tego się w domu nauczyłam, to mi wbijano do głowy.

— Różnie się między ludźmi układa, ale trzeba być cierpliwym. Cierpliwość zawsze jest nagrodzona, naucz się tego wreszcie.

I pamiętam, jak matka czekała na ojca, jak były dni przed jego przyjazdem wypełnione oczekiwaniem i:

— Sprzątnij pokój, przecież ojciec przyjeżdża, jak tu wygląda, przecież to wszystko musi cię rozpraszać!

I sprzątałam ten swój mały pokoik, choć nie było tam bałaganu, ale książki porozkładane i zeszyty, i na biurku dużo różnych potrzebnych rzeczy, i wazonik, w którym prężyły się długopisy i kłosy żyta z lata, i misiek mały pluszowy, co stracił kolor, ale był na szczęście, z boku, pod lampą, a obok świeczniczek z Zakopanego i miseczka, w której leżały różne niezbędne rzeczy, krówki, spinacze, pestka od brzoskwini, więc sprzątałam to wszystko, odkładałam, odkurzałam, na blacie już nic, jak tu masz ładnie, córuchno, nareszcie możesz się skupić, słyszałam w uszach, jak wejdzie i zobaczy, ale jak wchodził do przedpokoju i całował mnie, a ja próbowałam od razu pokazać ten porządek, to mama mówiła:

— Daj spokój, nie w tej chwili, później, nie widzisz, że ojciec jest zmęczony…

I zmęczony ojciec siadał w dużym pokoju, a do mnie nie zajrzał, a przecież porządek był, *bo ojciec przyjeżdża*, i miś schowany i żadnej rzeczy na wierzchu rozrzuconej w nieładzie…

— Potem do ciebie przyjdzie…

I:

— Podciągnij się z matematyki, chyba nie chcesz go zmartwić!

Tylko trója, to nie jest dobry stopień, ale obliczanie powierzchni graniastosłupa nie jest fascynujące.

— Nie wiesz, jak ciężko pracuje, żebyś ty miała… żebyś ty była… żebyś ty robiła…

Wiem, wiem, bo przecież nie mam ojca, mam zmartwioną mamę. Muszę być ostrożna, więc jak wchodzi w następny piątek: uśmiech na twarzy, przytulenie policzka do szorstkiego zarostu.

— Co tam, kochanie, słychać?

I delikatny uścisk ręki mamy.

Uścisk, który mówił własnym językiem, tak bardzo zrozumiałym:

— Nie waż się martwić ojca.

I odpowiedź na ten uścisk:

— Wszystko dobrze, tatusiu.

I kolejne pożegnanie.

I dlatego o moją rodzinę postanowiłam walczyć. To, jaka będzie, zależało tylko ode mnie.

Jeśli będę dobra, on też będzie dla mnie dobry.

On. Mój mąż. I przede wszystkim *będzie*.

Skąd miałam wiedzieć, że tak się potoczy moje życie? Że jak szukasz kogoś, kto cię ma chronić i opiekować się tobą, to wysyłasz sygnał — jestem słaba?

Skąd miałam wiedzieć, że mężczyzna, który obejmuje cię i mówi: kocham cię, bądź moją żoną, będzie bił?

Biją mężczyźni analfabeci, tacy, co nie znają francuskiego i angielskiego biegle, nie tłumaczą zawiłych tekstów, nie kończą fakultetów, nie pracują na dobrych stanowiskach. Biją ci, których nikt nie lubi. Biją prostacy spod budki z piwem, śmieją się, zapluwając przez zepsute zęby, *bo jak się żony nie bije, to jej wątroba zgnije*, tacy biją.

Ten, kto odkłada wieczorem *Absalom, Absalom!* na nocny stolik i kto ze wzruszeniem ogląda w telewizji dokumentalny film o gorylach, a na widok popielniczki z łapy goryla łamie mu się głos: mój Boże, gdzie ten świat zmierza, nie podnosi ręki na nikogo, to pewne.

Naprawdę nie pamiętam, kiedy to się zaczęło. I jak długo po ślubie?

Może wtedy, kiedy przyjechali na obiad jego rodzice.

Podałam polędwicę wołową zapiekaną w ziołach, tak jak chciał, a stół był pięknie nakryty białym haftowanym obrusem, *myślisz, że mam za dużo pieniędzy*, który kupiłam pod Pałacem Kultury, owalny ładny obrus i serwetki przy każdym nakryciu, i kwiaty na stole, o niczym nie zapomniałam.

— Wybaczcie — powiedział do swoich rodziców. — Hanuś następnym razem się postara.

Nienawidzę, kiedy mówi do mnie Hanuś, ale Hanuś się postara, oczywiście, mięso nie jest tak miękkie, a jego rodzice patrzą na niego z czułością, podniósł się, żeby otworzyć wino, wino dobre, nie byle jakie, zna się na winach, ale zapomniał dekantować, zapomniał otworzyć wcześniej i może dlatego jest zły na tę polędwicę, stanął za mną, pochylił się, pocałował mnie w czubek głowy, hej, zobaczcie:

jaką jesteśmy fajną dobraną parą!

jak kocham swoją żonę!

jak czule mówię do swojej żony, mimo że nie upiekła dobrze tej polędwicy!

mimo że mówiłem, uważaj!

— pewno się zamyśliła, idiotka jedna, polędwicę krótko się dusi, potem twardnieje, a tak prosiłem, specjalnie mi zależało, mieliście przyjechać, to dla mnie święto, chciałem zrobić wam przyjemność, no, ale się nie udało dzięki mojej żonie, która nie umiała się postarać, nie chciała się postarać, nawet o winie zapomniałem przez nią, już ja przywołam ją do porządku, jak wyjedziecie, ale…

Ale na razie pocałunek w czubek głowy:

— Prawda, kochanie?

Więc kochanie potakuje, uśmiecha się i jego rodzice się uśmiechają, stanowimy taką ładną parę.

— Nie jest taka twarda — mówi łaskawie matka mojego męża i podnosi kęs na widelcu, a ja oddycham z ulgą. — Choć może rzeczywiście odrobinę za długo…

Za każdym razem się starałam i za każdym razem to staranie było niewiele warte.

Ale jeszcze nawet nie wrzeszczał, tylko ten jego specjalny wyraz twarzy…

— Przykro mi — powiedział, siadając naprzeciwko mnie i biorąc moją dłoń w swoją rękę — po prostu to zlekceważyłaś. A w każdą robotę trzeba włożyć trochę serca. — I jego ręka ścisnęła mnie mocno, o wiele za mocno. — To się nie powtórzy, prawda?

— Prawda — powiedziałam krótko, bo coś zamarzło we mnie wtedy po raz pierwszy i wyrwałam swoją dłoń z jego uścisku.

Wstał i wyszedł do swojego pokoju.

Tak, to chyba wtedy zobaczyłam w nim coś przerażającego, ale mogło mi się przecież wydawać, a polędwica była za długo duszona, teraz wiem, że polędwica to delikatne mięso, wystarczy smażyć trzy minuty, na mocnym, ale nie za mocnym ogniu, można dodać masła do oliwy, tłuszcz jest wtedy gorętszy, a mięso smaczniejsze.

I *właściwie* miał rację.

Mięso było trochę za twarde.

Nie postarałam się.

Siedzieliśmy na peronie, pociąg, który miał wieźć nas dalej, spóźniał się, mama czytała gazetę, letnie południe zakwitało na malutkiej stacji mazurskiej, ojciec siedział z przymkniętymi oczami, powietrze brzęczało od owadów, upalny dzień osiadał na nas, skowronki kwiliły, a mnie bardzo chciało się pić.

Słońce stało na niebie, a z kranu na dworcu kapała woda, nad murkiem tabliczka z wymalowanym NIE i przekreślonym czerwoną linią kubkiem.

Wtedy wiedziałam, że jeśli coś nie jest przekreślone czerwoną linią, to się nadaje. Sęk w tym, że nie zawsze widać na pierwszy rzut oka tę czerwoną krechę, a czasem jej nie widać wcale.

Ale wtedy jeszcze nie wiedziałam, że jak czegoś nie widać, to nie znaczy, że tego nie ma.

— Żebyś tylko nie zrobiła jakiegoś głupstwa! — dźwięczało mi w uszach.

— Nie bądź w gorącej wodzie kąpana!

— Uważaj, zastanów się trzy razy, zanim coś postanowisz!

Więc jednak wszyscy czyhali, aby się upewnić, że mieli rację.

Oto popełniłam kolejny błąd w swoim życiu, okazałam się niedojrzała, za szybko podjęłam decyzję, a widzisz? — chcieli powiedzieć, ale nie mogli.

Bo on był dobry.

Uśmiechnięty.

Opiekuńczy.

— Hanuś, zimno ci — mówił, podnosił się z fotela, szedł do przedpokoju, przynosił wełnianą chustę i podawał mi.

A wszystkie kobiety patrzyły zazdrośnie, ich mężowie nie wiedzieli, że im jest chłodno, i nie wiedzieli, gdzie leżą ich wełniane chusty, i nigdy nie chciało im się ruszyć tyłka, żeby im coś przynieść, a on mnie otulał moją wełnianą chustą i całował w czubek głowy.

— Nie lubię, kiedy jesteś smutna — mówił, a ja się uśmiechałam.

— Kupiłem nową kanapę — oznajmiał, a ja się uśmiechałam, choć chciałam z nim razem wybrać tę kanapę, o której mówiliśmy od jakiegoś czasu. Może byłaby taka sama, kto wie? Może nie było innych, pocieszałam się i byłam zadowolona.

— Zmienimy szafki w kuchni — cieszył się, a ja się uśmiechałam, chociaż nie wiedziałam na jakie.

Marzyły mi się drewniane, pasowałyby do stołu, który stał w kuchni, drewnianego, z szufladą, po babci.

Przyjechały szafki, czerwone, z czarnymi blatami, drogie. Okropne.

Uśmiechałam się niepewnie.

— Nie pasują do stołu — mówiłam.

— Stół weźmie Jurek na działkę, już to z nim załatwiłem — mówił mój mąż — masz rację, nie pasuje, będzie pięknie. — I całował mnie mocno i cieszył się, więc i ja próbowałam się cieszyć.

— Ale ty masz fajnie — Joasia patrzyła na nową kuchnię. — Mój mąż w ogóle nie interesuje się domem, nie mogę się doprosić, żeby...

Nie słuchałam, o co nie może się doprosić.

Ja nie musiałam prosić.

Miałam perfumy, jakie lubił, i majtki, jakie lubił, szafki, jakie lubił, i kanapę, jaką lubił, firanki, jakie lubił, i jedzenie, jakie lubił.

Byłam właściwie szczęśliwa.

Tylko mój stół, mój ukochany stół po babci, stary stół, prawie kwadratowy, z szufladą, na toczonych nogach, prawdziwy drewniany stół wyjechał pewnego dnia na działkę, do obcych ludzi.

— Wiedz, że w życiu potrzebne, co ja mówię, niezbędne są kompromisy — mówiła często babcia, której mądrość podziwiałam i słuchałam jej dużo uważniej niż rodziców.

— Ty zawsze jesteś niezadowolona — powiedział kiedyś, spoglądając na mnie z pokoju, z kanapy, a ja zmywałam naczynia i po prostu nic nie mówiłam. Nie byłam ani zadowolona, ani niezadowolona, byłam *myjąca naczynia*.

— Mylisz się — powiedziałam i włożyłam do zlewu patelnię.

— Przecież widzę.

— Właśnie źle widzisz. — Z patelni nie chciał zejść tłuszcz, więc spryskałam dno płynem do mycia naczyń, żeby „się odtłuściła", i zakręciłam kurek.

— Co ja robię, że jesteś taka? — smutny głos mojego męża zabrzmiał głośniej bez szumu wody.

— Jaka? — zapytałam i sięgnęłam po ścierkę do naczyń, bo jeszcze nie widziałam problemu.

Jeszcze wtedy odpowiedziało mi milczenie. Wytarłam talerze i schowałam do górnej czerwonej szafki, której nienawidziłam.

— Sama wiesz, jaka! Zastanów się nad sobą!

Już stał w drzwiach, ubrany w kurtkę, ze złym spojrzeniem.

Musiało chodzić o coś sprzed wycierania, usiłowałam sobie przypomnieć, bo nie wiedziałam, naprawdę nie wiedziałam.

— O co ci chodzi? — zapytałam, a pytałam jeszcze wtedy odważnie.

— O nic! Dobrze wiesz! — krzyknął i zamknął za sobą drzwi.

Zostałam w tej kuchni i w tym mieszkaniu sama, zdziwiona, tak, tylko zdziwiona, nieprawdopodobnie zdziwiona.

A potem zaczęłam się zastanawiać, co takiego zrobiłam, że wyszedł.

Może miał trudny dzień w pracy, pomyślałam, a nawet go o to nie zapytałam, pomyślałam. Nie zdążyłam, dopiero zjedliśmy obiad, a przecież lubi, kiedy od razu jest sprzątnięte po obiedzie, pomyślałam, i to jest fajne, mężczyźni na ogół nie przywiązują wagi do porządków w domu, on jest inny, pomyślałam, ale może potrzebował mojej czułości, mojego zainteresowania *natychmiast*, a patelnia była dla mnie ważniejsza, może to o to chodziło?

Czy mnie byłoby przyjemnie, pomyślałam też, gdyby coś ktoś gdzieś kiedyś mi zrobił, a najbliższa mi osoba tego nie zauważyła?

Co ze mnie za żona, mąż wyszedł, a ja się nawet tym nie zmartwiłam. Tak pomyślałam.

Muszę Ci się przyznać, że dopiero wczoraj zrobiłam porządek w dużej szafie w przedpokoju. Czego ja tam nie znalazłam: lornetka i stare pudło ze zdjęciami, stary kożuch i mnóstwo jakichś ubrań, dwie kołdry i poduszka. Kołdry i poduszkę wyniosłam na balkon i wytrzepałam, żeby się przewietrzyły, ale wątpię, czy to coś da, bo w kołdrę wsiąkł zapaszek starości i nie wiem, co z tym zrobić. Ale jest jeszcze całkiem dobra.

Ubrania poukładałam i położyłam koło śmietnika, może się komuś przydadzą. Wyrzuciłam też miednicę z łazienki i dwa przetarte ręczniki. Umyłam okna i od razu zrobiło się przyjemniej. Ale teraz widać, że ściany są brudne, wymagają malowania…

Więc nie zauważyłam, że coś się dzieje z nim, tylko sądziłam, że coś się dzieje ze mną.

— Myliłam się co do niego — powiedziała Joasia — jest wspaniały.

— Nie miałam racji, wygląda na to, że on bardzo dba o dom — powiedziała moja matka.

— Ale masz cudownego męża — jęknęła w pracy Ewelina, kiedy przyszedł kiedyś po mnie.

Więc to ze mną coś było nie tak.

— Dlaczego twój ojciec nie przeszedł ze mną na ty?

Siedziałam przy stole w kuchni i sprawdzałam grafik wyjazdów na targi, szef prosił, żebym rzuciła okiem, coś się nie zgadzało, i jeszcze nie wiedziałam co.

Podniosłam głowę znad kalendarza.

— Nigdy mi tego nie zaproponował — usłyszałam w głosie pretensję.

— Nie wiem, on rzadko z kim jest na ty — powiedziałam i wróciłam do planu lotów i nazwisk, których było dużo, choć nie było tam mojego. Ja już nie wyjeżdżałam.

— Czy on ma coś przeciwko mnie?

— Daj spokój — uśmiechnęłam się, tak absurdalne wydało mi się to przypuszczenie.

Odwraca się i widzę jego plecy, a ja wracam do rozłożonych notatek.

Czy uwzględniono różnicę czasu? To przeszło dziewięć godzin, oczywiście że nie zdążą, jeśli wylecą z Hamburga tak, jak planowali...

— To cię nic nie obchodzi, prawda?

Odwrócił się, jakby miał wyjść, ale nie wyszedł, stoi w drzwiach i powinnam była to zauważyć. Odkładam więc kalendarz i notatki.

— Nie — mówię, chcąc powiedzieć, że to nieważne, to nieistotne, mój ojciec taki jest, musi człowieka dobrze poznać, uważa, że forma „pan" jest dopuszczalna nawet w stosunkach z zięciem, ale to *nie* już wystarcza.

— Wiedziałem — mówi cicho; groźne jest to *wiedziałem*.

Zrywam się od stołu, podchodzę, kładę mu ręce na ramionach:

— Nie było po prostu okazji, teraz, kiedy jesteśmy razem...

— Co wy macie przeciwko mnie?

— Kochany — szepczę — przecież ja...

— Nie udawaj — mówi, a szczęki zaciskają się z żalu? Ze smutku? Z urazy? — Wcale nie jesteś lepsza.

I odepchnął mnie, i wyszedł z domu.

Okno, przez które wlewa mi się do pokoju jasność, jest wysokie, sięga prawie sufitu, a u podstawy zdobi je szeroki parapet, na nim leży książka, tak jak nie powinna leżeć, rozłożona, grzbietem do góry. Jeśli jest źle sklejona, co zdarza się książkom, kartki będą się odrywać i przemieszczać bez mojego udziału, co zawsze jest irytujące. Jeśli się jakaś oderwie, to oczywiście zauważę, spojrzę na numer strony, włożę we właściwe miejsce, ale złośliwość rzeczy martwych usunie je z międzystron w inną rzeczywistość, w której mnie już nie będzie. Czasem im zazdroszczę.

Wiem o tym, bo sześć stron wysunęło się kiedyś z kryminału, który rozpalił moją ciekawość i do dzisiaj nie wiem, kto zabił. Zadrukowane karteczki wybrały wolność i nigdy nikt ich nie znalazł. A przecież kryminał leżał przy moim łóżku, bo czytałam w łóżku od zawsze.

A potem już nie czytałam. Chyba że i on sięgał po książkę. Rzadko.

Na ogół:

— Zgaś, przecież wiesz, że światło mi przeszkadza.

Gasiłam.

Dobrze, gdy jest zmęczony, bo wtedy od razu zasypia.

Dzisiaj w nocy znowu *śniłam sen*.

Śniłam, że jestem właścicielką osiemdziesięciopiętrowej, przerażającej willi, ze wszystkich stron otoczonej bagnami. W tej wiosce nie ma samochodów ani dorożek, ani rowerów, ani żadnych innych pojazdów, oprócz czerwonego autobusu, który jeździ tam i z powrotem. Znalazłam się tam nagle z olbrzymim bagażem, z którym nie mogłam sobie poradzić. Ciemno, muszę bardzo uważać, żeby nie wdepnąć w bagno, które tylko na to czeka. Na drodze pojawiają się niespodziewanie bąble i pękają w zwolnionym tempie, stawiałam ostrożnie nogi. Nagle okazało się, że przechodzą jacyś żołnierze, wszyscy w mundurach, natychmiast pomogli mi wnieść bagaż do środka, tak szybko, że na moment zgubiłam ich z oczu. Kiedy dotarłam do drzwi altany, obrośniętej kwiatami, lecz ponurej w tej nocy, z drzwi prowadzących do mojego domu — tej wieży osiemdziesięciopiętrowej — wyszło czterech mężczyzn w maskach karnawałowych, o nagich torsach i bosych stopach, w pasie przewiązanych ręcznikami, na desce obitej zielonym aksamitem nieśli trupa. Ciało jest sine, nagie, ale również w masce na twarzy. Odsuwam się przerażona, żeby zrobić im przejście, moje nogi natychmiast lądują w bagnie, nie ma ulicy, chodnika, ale trzciny, których dotychczas nie zauważyłam, gęste trzciny rozchylają się i mężczyźni z rewolwerami wymierzonymi prosto we mnie każą mi wejść do domu. Znalazłam się od razu na górze. Rewolwerowcy znikają za dużymi szklanymi, rozsuwanymi drzwiami.

Rozglądam się, w olbrzymim pokoju, którego okna sięgają podłogi, jest mnóstwo ludzi, ludzi których znam, moich przyjaciół, również moja rodzina, ale nikt nie zwraca na mnie uwagi, siedzą w napięciu i ciszy i wpatrują się w zamknięte drzwi. Co chwila drzwi się rozsuwają, wychodzi ciemny mężczyzna, wywołuje nazwisko, jedna osoba podnosi się i wchodzi za nim w te drzwi i nigdy więcej jej nie widzimy.

Za drzwiami słychać głuchy trzask wystrzału z pistoletu z tłumikiem.

Siedzieliśmy nieporuszeni, w milczeniu. Było nas coraz mniej i mniej... Kiedy została wywołana dziewczyna o cudownych złotych włosach do pasa, zamarłam, wcale nie skierowała się, tak jak wszyscy, do tych rozsuwanych drzwi, tylko podbiegła do okna i rzuciła się w dół. Patrzyłam, jak z zawrotną szybkością spada, ale tuż przy samej ziemi, przy bąblastym bagnie uniósł ją z powrotem do góry powiew wiatru. Przez tą samą stłuczoną szybę wfrunęła do pokoju i stała przede mną, okrwawiona, ale żywa.

I wtedy wywołali mnie.

Chciałam zrobić jak ona, skoczyć, ale wiedziałam, że żaden powiew wiatru mnie nie uratuje, że nie uniosę się z powrotem, że upadnę w bagno i utonę. Stałam przy tej rozbitej szybie, słyszałam tęskną pieśń żałobną, gdzieś tam z dołu, z nocnej ciemności, i byłam nie do uratowania.

Kiedy pierwszy raz mnie odepchnął tak mocno, że uderzyłam głową o ścianę w przedpokoju i upadłam, byłam pewna, że żałuje.

Wziął mnie na ręce, zaniósł do sypialni, przybiegł z lodem, tulił mnie do siebie i mówił:

— Przepraszam, nie wiem, co się ze mną dzieje, wybacz mi, ja cię kocham, nie zasługuję na ciebie, przepraszam.

A ja, patrząc na jego przerażone oczy, wiedziałam, że nie mogę go odepchnąć i pogrążyć w tej rozpaczy.

— Ja nie rozumiem, jak mogłem... Nie chcę żyć... — powtarzał z głową wtuloną w moje włosy, słyszałam gorączkowy żarliwy i och! jakże prawdziwy szept: — Przysięgam, przysięgam, to się nigdy nie powtórzy, nie wiem, co się ze mną dzieje, tak bardzo cię kocham, tak bardzo nie chcę cię stracić...

I powiedziałam, głaszcząc go po głowie, po jego głowie, która go nie bolała, która nie pękała, która nie puchła:

— Nie martw się, kochany, nic się przecież nie stało...

Najgorsze, że byłam z siebie dumna. Że jestem taka dobra.

Więc było dobrze. Stanowiliśmy coraz lepszą parę.

— Muszę przyznać, że nie wróżyłam wam przyszłości, ale myliłam się — powiedziała ciocia Zuzka, która była ciocią przyszywaną, rześką staruszką z wykupionym dla siebie miejscem na cmentarzu na Bródnie, gdzie chodziła regularnie i paliła na pustym grobie znicze.

— Po co to robisz, ciociu?

— Wiem, że żadne z was mi światełka nie zapali — mówiła ciocia, która miała osiemdziesiąt trzy lata, złośliwy charakter, była panną i nie lubiła zwierząt oraz mojego męża. Kochała natomiast mnie i moich rodziców.

Więc ona na początku nie wróżyła nam przyszłości, ale przyznała, że się myliła.

Myliła się, mówiąc, że się myliła.

Przyszłość ma każdy, dopóki żyje.

Ja byłam bez przyszłości.

Wypadam ze sklepu, nie dostałam udek indyka, a kurze — *sama rozumiesz, nie ten smak*, jest już późno, nie zdążę ugotować przed jego powrotem z pracy, może na Chełmskiej będą? Na rogu Sobieskiego wpada na mnie Anita, koleżanka z poprzedniej pracy, z mojej ulubionej pracy, która miała mi otworzyć okno na świat.

— Hanka! — cieszy się na mój widok, miałyśmy się zdzwonić po moim ślubie, miałyśmy się spotkać, miałyśmy… — Co u ciebie?

— Wszystko w porządku, dziękuję. — Niech mnie nie zatrzymuje, świetnie wygląda, opalona, mimo że styczeń, pewnie była w Egipcie, zawsze w zimie jeździ do ciepłych krajów — A u ciebie?

— Fantastycznie! Wejdziemy na kawę?

— Nie mogę, przepraszam, spieszę się.

— A jak mąż?

— Jest fajnie, naprawdę fajnie.

— Wierzę, wierzę, w ogóle nie masz dla nas czasu — ona się naprawdę cieszy z tego spotkania, a mnie czas mija na tym rogu niepotrzebnie, tak byłoby miło wejść gdzieś na kawę, ale nie, nie wejdę, te udka muszę kupić, bo nie chcę rozczarowania w jego głosie lub milczącej pretensji, że znowu jest ktoś ważniejszy niż on.

— No wiesz, urządzamy się...

— Może byście wpadli w przyszłym tygodniu? Widzieliśmy się tylko na ślubie. Co go tak chowasz przed nami?

Anita ma miłego męża, bywałam kiedyś u nich, lubiliśmy się.

— W przyszłym tygodniu nie możemy, już jesteśmy umówieni. Zdzwonimy się, dobrze?

— Nie zapominaj o nas — Anita całuje mnie w policzek, a ja biegnę na drugą stronę ulicy, muszę zdążyć, zdążyć, zdążyć...

Może to tak było?

Nie lubił, kiedy rozmawiałam przez telefon.

— Telefon jest do załatwiania spraw, a nie od głędzenia godzinami!...

— Dlaczego wychodzisz do drugiego pokoju ze słuchawką przy uchu?

— Dlaczego ściszasz głos?

— Z kim rozmawiasz?

— Znam?

— Mężczyzna czy kobieta?

— Masz przede mną tajemnice?

— O czym rozmawiałyście? O mnie?

— Skarżyłaś się na mnie, tak?

— To dlaczego nie chcesz powiedzieć?

— Dlaczego wszystko psujesz???

— Ja ci już nie wystarczam?

— Masz mnie za skurwysyna, tak? Wiedziałem!

— Przecież widzę to w twoich oczach!

Więc lepiej, żeby telefon nie dzwonił. O jeden powód mniej.

Miało być lepiej, jak telefon nie dzwoni. Ale nie było lepiej, tylko gorzej i gorzej.

— Czy twój mąż nie ma przypadkiem jakichś problemów?

I ten wzrok taki badawczy, wszyscy chcą mnie przyłapać na błędzie, na tym, że nie miałam racji, na tym, że on mnie nie kocha, a on mnie kocha, tylko nie radzi sobie z tą miłością, z tą zazdrością ma problem, ja jestem jego problemem, czegoś mu nie daję, co mu obiecałam, nie pamiętam, co to było, nie mogę dotrzymać jakiegoś słowa, ale postaram się, będzie tak jak kiedyś, bo on nie jest zły, jest tylko zmęczony, zestresowany, ma odpowiedzialną pracę...

— Ostatnio ma jakieś kłopoty w pracy — mówię więc.

— Nie chcę się wtrącać, ale czy twój mąż przypadkiem nie...

O nie, na pewno mój mąż NIE! I nie będziemy na ten temat rozmawiać, co was obchodzi mój mąż, dlaczego nie chcecie, żebym była szczęśliwa, dlaczego atakujecie nas, każdy ma prawo mieć gorszy dzień, to lepiej w ogóle się nie spotykajmy, jeśli tylko chcecie oceniać, szukać dziury w całym, mącić i nastawiać mnie przeciwko niemu, nie pozwolę na to, jesteśmy lojalni wobec siebie, to najważniejsze, nawet jeśli, to i tak nikomu, nic, nigdy!

Ale ja wiem, że mnie kocha, kocha nade wszystko, kocha po swojemu, niestety, nie po mojemu, kocha, bo jest zazdrosny, kocha, bo chce być ze mną, kocha, bo chce, żebym była szczęśliwa.

Kiedy nie jestem szczęśliwa, on traci grunt pod nogami, robi przecież wszystko, żeby mnie zadowolić. Krzyczy, że tego nie rozumiem, nie doceniam, a jestem dla niego wszystkim... Wszystkim!

I ja to rozumiem. Jeszcze.

Wszedł do mnie do biura, kiedy szef pochylał się nad moim biurkiem i sprawdzał ostatnie poprawki.

Kiedy zobaczyłam go w drzwiach, zamarłam. Stał tam ze wzrokiem, który przebił mi płuca i powietrze umknęło przez tę dziurę, przestałam oddychać, a szef poklepał mnie po ramieniu:

— Wspaniale, pani Hanko!

A on, mój mąż, przestał dźgać mnie w płuca, uśmiechnął się szeroko i wyciągnął rękę do mojego szefa, kulturalny, serdeczny.

— Witam pana, nie mieliśmy okazji się poznać, żona się dobrze sprawuje? Wpadłem na inspekcję — dowcipkował, a szef podał mu z uśmiechem rękę i puścił (!) do mnie oko.

A mój mąż podszedł bliżej, pocałował mnie i szepnął:

— Stęskniłem się za tobą — a ja powstrzymałam dreszcz, który wpełzł mi na plecy i próbował się rozprzestrzenić po całym ciele.

Drzwi za brązowym swetrem mojego szefa zamknęły się, a on przysiadł na biurku, oparł się o mnie, blisko i popatrzył na mnie. Z niepokojem? Niedowierzaniem? Rozpaczą?

— Od dawna dajesz się takiemu palantowi obmacywać?

— Widziałem, jak na ciebie patrzył, nie rób ze mnie idioty, bez powodu mężczyzna tak nie patrzy na kobietę… co ty z siebie robisz!

Nie musiałam nic mówić, nie mogłam nic powiedzieć, bo zbliżał się nieuchronnie ten czas, kiedy byłam najważniejsza, a było to przecież po pasku ze srebrzysto-czerwoną błyszczącą sprzączką, tylko jeszcze te dwa fakty drzemały oddzielnie, niepołączone i nieistotne. To ja źle się zachowałam, jakie prawo miał szef, żeby mnie klepać, spoufalać się, przyjaźnie dotykać, co ja z siebie robię, ma rację, powiedz coś, szeptało do mnie i posłuchałam tego szeptu.

— Przepraszam — przeszło mi przez gardło i już wiedziałam, że w pracy też, w pracy też będę się bała, a jeszcze nie wiedziałam, że ten rumieniec to z upokorzenia. Ta inspekcja — jak się żona sprawuje, ano jako tako, proszę pana, my, mężczyźni, to rozumiemy, my się lepiej rozumiemy, ach te kobiety, trzeba czuwać, trzeba pilnować, trzeba kontrolować, te głuptasy, te lale, te fantomy, których każdy może dotknąć, a tylko ja mam do tego prawo, zrozumiał pan?

To chciał powiedzieć mój mąż mojemu szefowi, miłemu starszemu panu, który raczej mi matkował, niż podrywał mnie, ale *ja już znam facetów, co mi takie bzdury będziesz opowiadała.*

Więc milczałam tylko po tym swoim *przepraszam*, głupawym i niedobrym, niepotrzebnym, bo nie miałam za co przepraszać. Choć może przepraszałam za niego.

Ale bałam się ja.

— Nie mówiłaś, Hanka, że masz takiego przystojnego męża — kiedy wyszedł, Kamila uśmiechnęła się do mnie znad swojego komputera. — Gratuluję, co za mężczyzna!

Więc uśmiechnęłam się do niej.

Wiesz, znalazłam swoje zdjęcia z dzieciństwa, mama stoi obok, ja w wózeczku, tata pewno robił to zdjęcie, ale byłam grubiutka! Podobno dlatego, że babcia mnie w tajemnicy przed rodzicami pasła różnościami, bo *ode mnie jej nie zaszkodzi*.

Śmieszna byłam, taka pucułka, o dużych oczach. Na jednym zdjęciu wyciągam ręce do taty, który śmiejąc się, odchyla głowę, a ja za wszelką cenę chcę go chwycić za włosy. Na tym zdjęciu są rozbawieni tylko rodzice, ja nie.

Schowałam je do albumu.

O tym zdarzeniu w pracy próbowałam opowiedzieć Joasi, przyszła do mnie w sobotę, kiedy on pojechał do swoich rodziców, coś tam miał pomóc, przykręcić, wywiercić, przesunąć, robią remont łazienki, ja mogłam zostać w domu.

Joasia otworzyła wino, usiadła na kanapie z podwiniętymi nogami, tak jak kiedyś, jak zawsze, i roześmiała się:

— No wiesz, to fantastycznie, że był u ciebie w pracy, mój to nawet nie wie, na jakiej ulicy pracuję, bo co go to obchodzi, przecież są telefony, prawda? A twój porządnie obszczał teren, żeby nie ruszać, co jego, zazdrosny jest, to dobrze, nie ma miłości bez zazdrości!

Wino było półsłodkie, białe, orzeszki słone, Joasia trzymała w jednej ręce kieliszek, a w drugiej swoją stopę, wypiłam wino, nie smakowało, nasłuchiwałam, czy już wraca czy nie, i to nie tak miało być, Joasia nic nie rozumiała z naszego spotkania. Dlaczego nic nie rozumie?

— Wiesz, kiedy wróciłam od fryzjera...

— Fajnie wyglądasz, od razu zauważyłam, dobrze ci w krótszych — przerywa, a ja uśmiecham się, włosy szybko odrosną.

— Nie podobam mu się — chcę wyjaśnić Joasi — kiedy wróciłam, on tak strasznie zaczął krzyczeć, na pewno było nas słychać na klatce, że co ja z siebie dałam zrobić, że nie mam rozumu, że niech mi oddadzą pieniądze, czy tam mają lustra... — niech Joasia wie, że to nie pierwszy raz.

Joaśka przechyliła się do mnie i stuknęła swoim kieliszkiem o mój. Roześmiała się głośno, pokazała swoje piękne białe zęby, zawsze głośno się śmiała i tak radośnie:

— Ty szczęściaro! — powiedziała, nie słysząc tego, co mówię — ty szczęściaro! To on widzi takie rzeczy? Zbyszkowi wszystko jedno, mówię ci, mogłabym przefarbować się na fioletowo, nie zauważyłby przez pierwsze trzy lata. I do roboty ci wpadł, bo się stęsknił, mówisz? Ale ci zazdroszczę!

Jak ja bym chciała, żeby Zbyszek choć raz, a Zby-szek nic, tańczę z jego kumplem przez cały wie-czór, a on mówi, to dobrze, kochanie, że się bawisz, bo on nie tańczy, nie jestem w stanie go namówić, a szkoda, bo jak mężczyzna...
I tak dalej. I tak dalej.

— Czy ty jesteś dobra dla niego? — zapytała moja mama.
— Oczywiście — powiedziałam.
I nie zapytała, czy on jest dobry dla mnie.

— Joasiu, możesz urwać się z pracy? Możemy się spotkać?
— Stało się coś? — głos taki bliski, zaniepokojo-ny, zawsze przecież mogłam na nią liczyć, no, wia-domo, teraz się zmieniło, mają dziecko, a ja...
— Nie, właściwie nie... tylko chciałam poga-dać...
— Oj, Hanuśka, daj spokój z tym urywaniem się z pracy. Wpadnij po prostu po południu, ja małego odbieram z przedszkola, muszę być przed czwar-tą... Oj, nie możesz, nie możesz, ty wszystko mo-żesz. Przecież nie masz żadnych obciążeń. Wiesz, ja to ci zazdroszczę. Masz wszystko, czego kobiecie potrzeba do szczęścia: dobrą pracę, kochającego fa-ceta, świata za tobą nie widzi, to widać!

I śmiech z tej gry słów, że nie widzi, a widać, wesoły śmiech, taki: fajnie, że ci jest dobrze! Trzyma cię pod kloszem, żeby mu cię kto nie ukradł, ha, ha, ha, to musi być miłe!

Żyć nie umierać!

— Na pewno nic się nie dzieje?

— Nie, nic ważnego — mówię więc.

— A ty taka jakaś skwaszona jesteś. Nie? Wydawało mi się...

— Wchodźcie, wchodźcie — słyszę od drzwi jego rozradowany głos, miły, zapraszający głos, jakby nie jego, ale to mój mąż i jego głos. Wychylam się z kuchni, muszę szybko sprzątnąć naczynia, jeszcze mam trzy tabele do sprawdzenia na jutro, szef już dzisiaj był zniecierpliwiony, że nie zdążyłam, ale przecież ktoś przyszedł, trzeba się ucieszyć.

— Kochanie! — To radosne *kochanie* jest do mnie, nie odzywał się od obiadu, ale teraz jest *kochanie*, więc naciągam na twarz uśmiech, jak to miło, że przyszliście, jak to wspaniale, proszę bardzo.

— Kochanie, Jurek z żoną!

Stoją w przedpokoju, Jurek, jego kolega z pracy, z bardzo miłą żoną, widziałam ją raz, może dwa razy, byliśmy u nich kiedyś, przed ślubem.

— Przepraszamy, że bez zapowiedzi, ale mówiłeś, żeby wpaść po tłumaczenie, byliśmy niedaleko i pomyślałem, że jesteś... jesteście — poprawia się natychmiast i wyciąga w stronę mojego męża butelkę whisky na powitanie, a jego żona na powitanie wyciąga do mnie rękę.

— To bardzo miło, wchodźcie, wchodźcie. — Naciągnięty uśmiech niby szlaban nie przepuści żadnego innego uczucia, jak tylko radość.

— Hanuś nam zrobi herbatę, kawę? Mamy lód, kochanie? Może obejrzycie mieszkanie?

I kochanie kiwa potakująco głową, bo lód musi być w domu, cóż to byłby za dom, gdyby nie było lodu, i zrobi, oczywiście, herbatę, bo żona Jurka chce herbaty, a on oprowadzi ich po mieszkaniu, pokaże piękną nową kanapę.

Żona Jurka wchodzi za kochaniem do kuchni.

— Ciekawy projekt — mówi, patrząc na ogniste szafki i na czarne blaty, na których widać każdy najmniejszy okruszek, każdy ślad okruszka, każdą kroplę wody.

I Hanuś się nie leni, lód, szklaneczki, woda, czajniczek, herbata, ścierka, ruch po blacie, rozsypało się parę ziarenek, i woda.

— Lilka, chodź! — z głębi mieszkania. Więc Lilka idzie, a Hanuś zostanie, niech się dalej uśmiecha, niech nie pyta, po co oglądać mają jej łóżko, jej łazienkę, jej pokój, po co?

Hanuś, już bez uśmiechu, odwraca się i otwiera whisky, i wyjmuje lód, jedna kostka upada na podłogę, obmywa ją pod kranem (on nie widzi), wrzuca do szklaneczki, ścierka po blacie, żeby ślad nie został od wilgoci, i znowu przywołuje uśmiech na wargi i idzie do pokoju.

— Dostałem etat w Hot-Cold — mówi Jurek.

— Co ty powiesz? — musi być mu przykro, dotychczas jego prosili o tłumaczenia kabinowe, nie
zawsze, czasem, ale to prestiżowe gadające głowy, niżej ministra nie schodzą, a czasem trafi się
i premier, no i nie mieli etatu, tylko zlecenia, bo to
nowy program, jeszcze oglądalność niewysoka...

— Sam się zdziwiłem, ale skoczyli o 6 punk-
tów...

— To świetnie — ale nie jest świetnie, nie, przecież to on jest najlepszy, to on zasługiwał na ten
etat, nie Jurek.

— No, no — mówi Jurek i potrząsa szklanecz-
ką — a ty nie pijesz?

A on, mój mąż, uśmiecha się:

— Gdybym wiedział, że wpadniecie — jest wyrzut w tym zdaniu (nie wpada się do nas, ot tak
sobie, przy okazji, po drodze, nie wiadomo po co
i bez uprzedzenia, od czegoś przecież są telefony,
prawda? ale wyrzut cieniuteńki, celofanowy, bo
uśmiech szeroki i może to tylko pomyłka, wyrzut,
skąd, jaki wyrzut, raczej żal) — byłbym przygoto-
wany, jakieś dobre Château Lafite Rothschild albo
Margaux, do tego fois gras... Uczcilibyśmy twój
sukces...

I whisky w szklaneczkach nabiera koloru moczu, a i w smaku jest taka żadna. Lilka patrzy na
mojego męża, uśmiechniętego, pewnego siebie...

— A to? Co za specjał? — nachyla się nad pół-
miskiem, który mój mąż stawia na stole.

— Dobre pasztety do dobrego wina, butelka Margaux kosztuje z tysiąc euro — a Jurek wychyla szklaneczkę whisky.

— Przyszłość przed nami! — śmieje się mój mąż — dojdziemy i do Sauternes!

I oni się również uśmiechają, choć pewnie nie wiedzą, że Sauternes kosztuje parę tysięcy i że go nigdy nie kupimy, ale miło porozmawiać o dobrych winach, a Lilka patrzy na mojego męża z podziwem, jakiż to miły i kulturalny mężczyzna, jaki ma piękny uśmiech i jak wspaniale zna się na winach.

— Kochanie, może jakaś mała przekąska? Ależ skąd, nie wypuszczę was teraz, siadajcie, Hania zaraz coś nam przygotuje...

I kochanie wstaje, choć ma pracę, ale są goście, jacy mili ludzie, coś naprędce zrobi, a potem kochanie posiedzi nad tabelami w nocy, wstanie cichutko, żeby go nie budzić, bo położy się razem z nim, żeby go nie denerwować, on tak łatwo się denerwuje, tak szybko czuje się odrzucony, no cóż, odejście Krystyny było dla niego taką traumą, a przecież ja go kocham, więc to zrozumiem, bo przecież wystarczy kochać, żeby być kochanym.

— I tak mi przykro, że nie dostałeś tego programu — szepczę wieczorem już w łóżku, żeby wiedział, że jestem po jego stronie.

— Nigdy mi na tym nie zależało, skąd ci to przyszło do głowy, jestem za dobry na takie gówno — mówi i odwraca się do mnie plecami.

Wszystko się jeszcze ułoży.

I świat się dalej obkurczał, zaczęłam się spieszyć z pracy, żeby zawsze być przed nim i zaczęłam wpatrywać się pilnie w jego twarz, żeby wiedzieć, co złego robię, i tego nie robić.

Jak można żyć, nie godząc się z tym, co jest? Najprościej. To nie wymaga żadnego wysiłku, to ogarnia cię ze wszystkich stron i powtarza: nie masz wyjścia, nie masz wyjścia. I nie ma „wstęp wzbroniony". Tam by się można ukradkiem, tak żeby nikt nie widział, tam by można było, jakoś niezauważenie, mimochodem, przypadkiem, przez pomyłkę. Schylić się, przylgnąć do ścian, krok za krokiem, cichusieńko, nawet po ciemku, nawet w nieznane, każde nieznane byłoby lepsze, przecisnąć się, przedrzeć, przeczekać tam nawet.

Ale wyjścia nie ma.

Świat skurczył się do tego mieszkania, nie ma świata poza tym pokojem, świat się skurczył do tego pokoju, bo w mieszkaniu niebezpiecznie, więc do łazienki, bo pokój za duży i:

— Dlaczego tam siedzisz?

Więc nie, pokój nie, zostaje łazienka.

Łazienka nie ma okna, nie ma wyjścia. Ale można puścić wodę, wtedy nie słychać płaczu, można szerokim strumieniem puścić wodę do wanny.

— Co ty tam robisz?

— Piorę. — Odpowiedzieć szybko, zamoczyć sweter, a woda szumi i szeleści, połyka twoje łka-

nie i to może trwać i trwać, dopóki zwykle oporne
łzy zechcą płynąć.

A potem:

— Jak ty wyglądasz?

— Zatarłam oko proszkiem.

— Musisz uważać — troskliwe.

No jasne, że muszę uważać. Nie robię nic innego, tylko uważam. Uważnie patrzę i uważnie
się budzę, uważnie wychodzę i z lękiem wracam,
uważnie się kładę i uważnie udaję, że czytam.
Uważnie gotuję, uważnie się myję, uważnie nakła-
dam make-up na podbite oko i ślady na szyi.

Uważnie. Żeby nie zauważył.

Kiedyś się nie pomalowałam.

Wpadł w szał.

— Ty to specjalnie robisz, żeby mnie wpędzić
w poczucie winy! Nie uda ci się!

Więc bardzo ostrożnie, w sekrecie, pokrywam
ślady. Ze względu na niego.

— Ty nie potrafisz wybaczyć, tylko będziesz mi
w nieskończoność wypominać!

Więc nie, nie mówię nigdy o tym, co się stało.
Nic się przecież nie stało.

— Znowu ryczałaś!

Więc nie, skąd, prałam, nie byłam uważna, odsunęłam kosmyk włosów dłonią z proszkiem, ale
ze mnie gapa, oczywiście, przemyję zaraz.

— A co ty tam tak długo robiłaś?

— Prałam przecież.

— A od czego pralka? Zniszczysz sobie ręce.

Tak się zatroszczył.

Mniejsza o to oko, to było kiedyś, trzy tygodnie ślad, najpierw siny, fioletowy, potem czarny, zielony, żółty, tęcza cała pod okiem.

— Kocham cię przecież, już między nami będzie dobrze, prawda?

— Jest przecież dobrze.

Kłamstwo tak gładko przechodzi przez usta, jakby nie bolały, a bolą.

Nie ma wyjścia, będzie dobrze.

Jest dobrze, tylko wyjścia nie ma.

Jak już zaczęłam, to chcę Ci powiedzieć o wszystkim, o czym dotychczas nie ośmieliłam się mówić.

Nie wiem dlaczego. Ale to jasne, że nie można przyjść do rodziców i powiedzieć:

— Mąż mnie bije.

— Podbił mi oko.

— Wykręcił rękę.

— Uderzył.

— Uderza.

— Ale ja wiem, że to się zmieni, więc lepiej, żebyście o tym nie wiedzieli, żebyście nie patrzyli na mnie jak na ofiarę, żebyście nie potępiali go, że traci czasami grunt pod nogami, nie, nie dlatego wam o tym nie mówię, ale gdybym nawet powiedziała, to tylko po to, żebyście natychmiast zapomnieli, co powiedziałam, bo nie chcę wyrzutu w waszych oczach, nie chcę rad, nie chcę współczucia, nie chcę się z nim rozstać, bo on mnie kocha i ja go kocham.

Więc po co mówić? Skarżyć się? Szukać współczucia? Nie radzić sobie? Robić z siebie idiotkę?

Ale teraz powiem wszystko.

A to dopiero początek.

Nie pamiętam pór roku ani miesięcy, nie pamiętam nic oprócz napięcia i poczucia, że po pracy trzeba jak najszybciej być w domu.

Świat robił się coraz odleglejszy, nie pamiętam pogody, deszczów, mrozów i upałów, nie pamiętam zwierząt ani ptaków, nie pamiętam sąsiadów ani znajomych, którzy przecież od czasu do czasu bywali. Jego znajomych. Nie pamiętam zapachów ani smaków, obejrzanych filmów ani wiadomości.

Pamiętam, jak wykrzywiała mu się twarz, jak podnosił się prawy kącik ust, wiedziałam, że za chwilę wybuchnie, więc uśmiechałam się, siadałam blisko niego, przytulałam się, a czasem głaskałam go po udzie, wtedy jeszcze seks odraczał jakiś niewiadomy wyrok za coś, czego nie byłam w stanie przewidzieć.

Kiedyś zadzwoniła Daria, przyjechała z Francji na parę dni, ucieszyłam się.

Przykręcał drewnianą osłonę na zmywarkę, którą kupił w sobotę, *niespodzianka dla ciebie*, klęczał na podłodze w kuchni, nie podnosząc głowy zapytał:

— A kto to jest Daria?

— Moja koleżanka ze studiów — radość w moim głosie dźwięczała po całej kuchni, szarpnął szafką obok, zagrzechotały garnki. — Spotkam się z nią! Poczekaj, powyjmuję — schyliłam się, łatwiej będzie zmieścić maszynę, jak się trochę przesunie w stronę kuchenki, ale wypakowana garami jest za ciężka.

— A znam ją?

— Nie, ale możecie się poznać — mówię odważnie, ten z obtłuczonym brzegiem trzeba wyrzucić, podobno jedzenie jest niezdrowe, jak się emalia zniszczy, a ta mała patelenka jest tak nierówna, że można na niej tylko wtedy coś usmażyć, jak się cały czas trzyma za rączkę.

— To dlaczego o niej nie słyszałem?

— Och, o tylu moich koleżankach nie słyszałeś... — coś podobnego, tak szukałam tego koszyczka, jest znakomity na przyprawy, myślałam, że gdzieś przepadł, a on ukrył się za naczyniem żaroodpornym.

— Słucham??? — nie zarejestrowałam ciszy, która zapadła, odłożył młotek, radość z telefonu pozbawiła mnie czujności. Co ja powiedziałam? Nie pamiętam? Co go mogło rozzłościć? Skup się, skup się!!!

— Przepraszam, nie to chciałam powiedzieć — poprawiam się natychmiast i kulę wśród pokrywek z koszyczkiem do przypraw w ręku.

Podnosi się i trzaska drzwiami zmywarki. Drewniana osłona zostaje obok. Nachyla się nade mną.

— Zawsze wiedziałem, że coś przede mną ukrywasz, chcesz się z nią spotkać sama, beze mnie, prawda? Poopowiadać jej, jak źle trafiłaś!

Siedzę wśród garnków, przy kolanie ten malutki czerwony, w białe kwiaty, prawie go nie używam, ale lubię, mama mi go dała, jest taki niedzisiejszy, kolorowy, już się takich nie produkuje, a fuga między płytkami podłogowymi nie jest brązowa, jest szara, nigdy tego nie zauważyłam, i pokrywki leżą obok, i i jego stopy przede mną w czarnych skarpetkach. Podnoszę wzrok.

— Nie, nie, naprawdę... zresztą myślałam, że my razem...

— Nie masz czasu iść do moich znajomych, a mnie chcesz wrobić w jakieś głupie spotkania z twoimi rzekomymi koleżankami? Za kogo ty mnie masz? Posprzątaj to!

Kopnął w garnki, zadźwięczały pokrywki, poturlały się aż pod kuchenkę. Skarpety czarne zniknęły, i schowałam te garnki, i ten czerwony, i nawet te, co miałam wyrzucić, z powrotem do szafki, i nie zobaczyłam się z Darią.

Małżeństwo jest ważniejsze niż dawna koleżanka.

Pewnej niedzieli bolała mnie ręka, którą wykręcił mi rano tak, że myślałam: jest złamana. Nie-
chcący to zrobił, po prostu przygotowałam mleko
w dzbanuszku do kawy trzyprocentowe, a on tylko — zero pięć. Wylał kawę do zlewu, nic nie powiedział, tylko wylał, zmartwiałam, gdy zobaczyłam, jak odsuwa kubek od warg, lekko zdziwiony,
jak podnosi się wolno z krzesła, wstaje, odsuwa
krzesło, idzie do zlewu z tym kubkiem w ręku, potem precyzyjny ruch wylewania, przechylania kub-
ka, mały ciemny strumień kawy, karmiący otwór
w zlewie, jego ręka na czajniku. Czeka, aż woda
się zagotuje, zalewa nową kawę, a potem wyjmuje karton mleka z lodówki, trzyprocentowego, stawia przede mną, nachyla się do mnie, umarłej przy
tym stole, zastygłej.

— Jakie to mleko? — pyta spokojnie.

— Trzy... trzyprocentowe — jąkam.

— A jakie ja piję?

— Zero pięć.

— Ach, więc nie zapomniałaś? — do dziś aż
kurczę się od wspomnienia tego pozornego spokoju w jego głosie.

— Nie, nie. Tylko...

I to było niepotrzebne, zupełnie niepotrzebne,
bo chwycił mnie za łokieć i odgiął rękę prawie na
plecy. Pochyliłam głowę, a moje włosy zamoczy-
ły się w herbacie, którą miałam przed sobą. (Kawę
zdążyłam znienawidzić).

Wtedy mnie szarpnął za włosy, musiałam unieść głowę, a z włosów na mój popielaty sweter spłynęło parę kropli herbaty, była gorąca, poczułam to, ale ręka na plecach unieruchomiona. Czekałam na trzask, taki jak na filmach, kiedy skręcają komuś kark.

— Jakie to mleko? — powtarza.

— Zero pięć — bełkoczę, bo boli tak strasznie, że tylko krzyczeć, ale krzyk byłby jeszcze gorszy, nie mogłam krzyczeć.

— Jakie to mleko? — powtórzył i uścisk nie zelżał.

Jak mogłam się tak pomylić, myślałam, że powtarza tamto pytanie, sprzed chwili, a to było nowe, inne pytanie.

— Trzyprocentowe, przepraszam…

— Tak trudno zapamiętać, jakie piję?

Skóra na głowie bolała mnie, bałam się, że będę miała łyse placki, a tego nie da się ukryć przed koleżankami, przed szefem, przed jutrem.

— Jakie to mleko?

— Trzyprocentowe, przepraszam!

— A jakie ja piję?

— Chude.

— A jakie ja piję?

— Trzyprocentowe!

I mocne szarpnięcie. Boże, jak mogłam być taka rozkojarzona, panie Boże, pomóż mi.

— Nie uważasz! Jakie to mleko?

— Trzyprocentowe!

— A... jakie to mleko?

— Trzyprocentowe!

— A jakie ja...

— Zero pięć!

— Nie skończyłem, nie uważasz! Przerywasz! Ciągle mi przerywasz! A jakie ja lubię?

— Zero pięć...

— Tak trudno zapamiętać? Ile razy musisz to sobie powtórzyć, żeby zapamiętać? Dlaczego mi robisz na złość?

Nie odpowiadać, wszystko, cokolwiek powiesz, będzie użyte przeciwko tobie, nie odpowiadać, milczeć, teraz milczeć, to jest mleko trzyprocentowe, on pije zero pięć, zero pięć on pije, w kawie pije zero pięć, po co w ogóle kupiłam trzyprocentowe? Bo innego nie było, dlatego. Żeby w domu było jakiekolwiek, żeby nie miał pretensji. Już raz była awantura o mleko. Mogłam iść do innego sklepu, ale spieszyłam się.

Teraz nie tłumaczyć się, nie bronić, nie rozwścieczać go bardziej, to zaraz puści, to jest ból do wytrzymania, nie płakać, bo go to rozzłości, nie mieć nawet łez w oczach, ot, nic takiego, nie obwiniać, bo zabije, zabije mnie kiedyś przez przypadek. Wyjścia nie ma.

Już.

Puścił.

Siedzi naprzeciwko, głowa zwieszona, twarz skryta za mocnymi dłońmi. Nie widzę jego oczu, spomiędzy palców płyną słowa smutne i spokojne:

— Dlaczego ty mnie do tego zmuszasz? Co ja ci takiego zrobiłem?

Teraz trzeba go oswoić, pocieszyć, żeby nie został z tym poczuciem winy, bo będzie jeszcze gorzej, a na przyszłość pamiętać o tym mleku, nie denerwować go, przecież nie zawsze jest taki, bywa wspaniały, miły, rycerski, przecież on nie chciał.

— Ja cię tak kocham, przecież ja cię tak kocham, to mleko jest nieważne...

I robi mi się strasznie żal, to przecież mój mąż, ktoś bliski, wstaję, głaszczę go po głowie. Chwila nieuwagi, a słowa wymykają się cichcem:

— Nie było innego, przepraszam...

To jest błąd, niewybaczalny, dłonie opadają z jego twarzy, moja dłoń zsuwa się z jego włosów, a on wbija wzrok we mnie i uśmiecha się tym uśmiechem, który znam na pamięć, od którego drętwieję w środku, moje uda zaciskają się pod spódnicą.

— Rany! Nie było innego? Doprawdy? Nie produkują innego. Wycofali. Szkoda.

Przerwa.

Antrakt.

Napięcie musi rosnąć.

Nic nie ma tak od razu.

— Do wczoraj było, a dzisiaj nie ma. W żadnym sklepie. Jaka szkoda, wielka szkoda. Czy podawali już w dzienniku, że zabrakło mleka w tym kraju? Nie? Musimy włączyć telewizor, koniecznie, na pewno będą na ten temat mówić...

Więc stoję nieporuszona, nic nie robić jest lepiej, niż znowu zrobić coś głupiego.

Jakie ma znaczenie ta kawa, to mleko, ten początek dnia, ten mężczyzna, ten świat, to życie.

— Ojej, ojej — powtarza z lubością — przecież gdybyś powiedziała, że nie było, nie zdenerwowałbym się.

Nie wiem, co robić, będę tak stać do końca świata, przez cały ranek niedzielny, niech tak będzie, ten ton kpiarski, okropny, niech się już skończy, niech będzie tak jak kiedyś.

— Hanuś, sprawdźmy, tak na wszelki wypadek, chodź...

I popchnął mnie przed sobą, listopad, nie wzięłam nawet kurtki, zamknął za nami drzwi, przy windzie spotkaliśmy sąsiada spod dwudziestki czwórki, dzień dobry, dzień dobry, co słychać, ano stara bieda.

Było zimno, to pamiętam.

I wepchnął mnie do samochodu, pojechaliśmy do sklepu na drugim końcu naszego osiedla, otwartego w niedzielę, rzadko tam bywam, bo to nie po drodze z autobusu.

Na ulicy już mnie nie popychał, weszliśmy do tego sklepu razem, jak kochające się młode małżeństwo, on uśmiechnął się do sprzedawczyni, a dziewczę uśmiechnęło się do niego, nie zauważyło mnie, przestałam istnieć, mój mąż jest przystojny i naprawdę potrafi być uroczy...

— Jest chude mleko? — pyta on i uśmiecha się znowu.

— Litr, pół litra? Dwuprocentowe czy...

— Zero pięć, proszę. I z sześć kartonów, będzie zapas, bo żona wczoraj nie dostała. Już myślałem, że przestali produkować, cha, cha, cha...

— Cha, cha, cha — odpowiada wdzięczne sprzedawczę, potrząsa krótką grzywką, patrzy na mnie przez przypadek (z ubolewaniem?), takie nic przy takim facecie, no cóż, ludzie mają różne gusta, ja mam przecież zachlapany herbatą na samym przodzie sweter, a on taki elegancki, taki miły, taki w kontakcie.

— Kochanie, jakieś wino?

To do mnie to pytanie, nie zorientowałam się, że do mnie. Szybko odpowiedzieć. Bez zastanowienia. Tak czy nie?

— Jakie lubisz, pani czeka...

Aksamitne napomnienie i ręka na ramieniu, oto moja żona, ukochana, dbam o nią, a nawet o jej wino do obiadu, troszczę się o nią i niech jej pani zazdrości.

— Szybciej kochanie, pani czeka...

— Może cabernet — rzucam w panice, stoi tuż nad blond główką, nad uśmiechniętą buzią, to ludzie piją do obiadu, to jest w porządku, cabernet bez sadzenia się, w takim winie, które stoi tuż przed moimi oczami, nie ma nic złego.

— A może nie… — Sprzedawczyni cofa rękę, już wyciągniętą w kierunku zastarzałej butelki, a on się śmieje. — Żartowałem, jeśli żona lubi Cabernet Sauvignon… — powtarza z lubością z prawdziwym francuskim akcentem. — Alzackich żadnych pani nie ma? Może Gewurztraminer?

A sprzedawczę otwiera oczka szeroko, skąd w sklepiku osiedlowym alzackie wino, kiwa przecząco głową.

— Niech będzie cabernet, kochanie, może od razu dwa?

I kochanie kiwa głową, że tak, sądzi, że tak, dwie butelki, to świetny pomysł.

— I może jeszcze, korzystając z okazji, że pani taka miła — mówi on, a sprzedawczę przewraca oczami, już uwiedzione, tylko na niego patrzy, zawsze był przystojny i zawsze podobał się kobietom, i zawsze mi się to podobało, silny, wysportowany, squash dwa razy w tygodniu z prezesem Sokółką od szóstej do dziewiątej wieczorem, trzy godziny dwa razy w tygodniu wolności dla mnie, więc sprzedawczę jest miłe, patrzy wyczekująco i rozpływa się. — Blue d'or, proszę i to — palcem wskazuje na różę stojącą w oknie.

— To nie na sprzedaż! — chichocze sprzedawczę. — To szefowej, miała wczoraj urodziny — szepcze do mojego męża konfidencjonalnie, a nuż szefowa usłyszy z zaplecza?

— Szkoda, żona uwielbia róże — patrzy na mnie, a ja patrzę na niego i wykrzywiam twarz w uśmie-

chu, bo sprzedawczyni naszego osiedlowego sklepu nie musi wiedzieć, że ...

I

on całuje mnie,

a

patrzy w oczy tamtej.

To jego ulubiony chwyt, sprzedawczę się czer-
wieni, jakby ją pocałował, a nie mnie, i ja się czer-
wienię, jakby ją pocałował, a nie mnie, z zażeno-
wania, bo pocałował ją właśnie.

I ja o tym wiem.

I wyszliśmy do samochodu, i sześć kartonów
mleka, wina, i ser, i jeszcze kawę wziął, bo bez kawy
nie ma poranka, słońce nie wzejdzie, jeśli nie będzie miał kawy, a ja cieszę się, że nie pada, jestem
w samym swetrze, tylko ręka mnie boli i sztywnie-
je i boję się wrócić do domu, bo co dalej?

Ale w domu jest spokojnie, jest miło, byłoby
miło, gdyby nie to, że nie może już być miło, ale
jest tak, jak wtedy, kiedy on jest spokojny, czyli
miło.

Tylko ręka napuchła w nadgarstku, nie może
się zgiąć, napuchła w ciągu paru minut, właściwie
opuchlizna nie jest taka duża, tylko siniak jakby
powyżej się zrobił brzydki, zszarzeje, będzie prawie czarny do jutra.

Zdjęłam popielaty sweter, wypłukałam w zimnej wodzie. Zostanie plama czy nie? Gdyby od razu go zamoczyć... Ale od razu się nie dało.

I poszukałam w szafie swetra czarnego, który ma długie rękawy, nie będzie widać spod tych rękawów nic a nic, sięgają prawie do palców, i tak dobrze, że to lewa ręka, nie prawa.

Mamy wyjść o piątej, ja będę prowadzić, jak zwykle, jestem kierowcą, bo on ma prawo do drinka u przyjaciół, ale ręka dokucza mi coraz bardziej.

Może gdyby poszedł sam, zrobiłabym sobie okład, może by do jutra ta opuchlizna zeszła. Siniaka nie będzie widać, wszyscy noszą coś z długimi rękawami...

Po obiedzie się kładę, on wchodzi do sypialni, sztywnieję. Siada obok, odgarnia mi włosy z czoła, czułym gestem, pełnym miłości.

— Źle się czujesz?

— Okres — kłamię. — Boli mnie brzuch.

— Może chcesz, żebym sam pojechał do Jurków?

Uwaga!

Jaka odpowiedź będzie dobra?

Co go zadowoli?

Czy jeśli powiem tak, to go znowu zdenerwuję?

Czy jeśli powiem nie, to on się wścieknie?

Uwaga! Uwaga! Uwaga!

— Nie wiem, kochanie, chciałabym iść z tobą, ale bardzo źle się czuję. Boję się, że zepsuję wam wieczór...

Dobra odpowiedź, dzisiaj ta odpowiedź jest dobra.

— To nie idź, kochanie, jeśli się źle czujesz, wrócę szybko.

Pociesza mnie. Czy grozi? A więc znowu mi grozi.

— Dobrze, kochanie — zamykam oczy, a on jeszcze chwilę gładzi mnie po włosach.

Kiedyś to było przyjemne.

Kiedyś.

Dawno.

Milion lat temu.

Musiało być przyjemne.

I teraz też musi.

Trzasnęły drzwi, leżałam jeszcze chwilę i nasłuchiwałam, może czegoś zapomniał i cofnie się, i zaskoczy mnie, zdybie na nieleżeniu, więc trzeba jeszcze zostać w tej samej pozycji, niewygodnej, z głową schowaną w zagłębieniu łokcia, prawego, tak jak mnie zostawił, w sypialni, na brzegu łóżka, skuloną, z kolanami ugiętymi, w pozycji embrionalnej, bezpiecznej...

Drzwi windy trzaskają, pojechała na dół, ze zgrzytem, ale jeszcze nie, za chwilę...

Może już?

Tak.

Teraz można wstać, stanąć ostrożnie przy oknie, spojrzeć zza firanki na parking, zobaczyć, czy idzie do samochodu, tak, samochód rusza, można zamknąć drzwi na łańcuch, na wszelki wypadek.

Jaka to rozkosz być samej w domu! Jakie to przyjemne! Trzeba tylko szybko zmyć po obiedzie, został jeden garnek na kuchence, a w nim dwa ziemniaki, ziemniaki przełożyć do miseczki, nakryć folią, miseczkę do lodówki, a garnek do zlewu, wymyć, wytrzeć, schować. Z suszarki sprzątnąć naczynia, suszarka to nie miejsce na gromadzenie naczyń, prawda? Suche naczynia od razu chowamy na miejsce, prawda?

Zrzucił kiedyś suszarkę na podłogę. Razem z talerzami i szklankami, zanim zdążyłam sprzątnąć w kuchni. Więc zmywam garnek, choć ręka boli, przecieram kuchenkę i blaty, myję zlew, czyszczę sitko i nareszcie mogę swobodnie odetchnąć. Może wróci za trzy albo cztery godziny? Może wróci w dobrym humorze?

Ręka boli, ale to nie przeszkadza, nie tak bardzo jak na przykład podbite oko.

Kto w tym państwie miewa podbite oczy?

Prostytutka?

Wariatka?

Awanturnica?

Złodziejka?

Alkoholiczka?

Otóż kobieta, która szuka guza.

Kobiety, które tak bardzo krzywdzą mężczyzn, że ci, mimo anielskiej cierpliwości, nie mogą nad sobą w końcu zapanować.

Prowokatorki.

Oraz, oczywiście, idiotki, które mogły się zderzyć z otwartą szafką w kuchni.

Zawsze są jakieś otwarte drzwiczki, w które te kobiety trafiają tak nieszczęśliwie czołem lub okiem.

— Pani Hanko, co się stało? — Niepokój na twarzy pani Magdy, sekretarki szefa, obok której przechodzę przynajmniej dwa razy dziennie. Mimo ciemnego podkładu i beżowego pudru, numer trzydzieści siedem — widać, mimo trzech dni — widać.

— Uderzyłam się o drzwiczki...

— Ojej, dobrze, że pani sobie oka nie wybiła. I pomyśleć, że tyle wypadków zdarza się w domu. Wie pani, że więcej niż na ulicy? Moja znajoma tak się uderzyła... nie, ona się nie uderzyła, ona wieszała firanki, krzesło się odchyliło i niech pani sobie wyobrazi, nieszczęsna, zaczepiła obrączką o karnisz, i całe szczęście, boby wypadła, mąż dobiegł i ją chwycił, chociaż musiała mieć operacyjnie zdejmowaną obrączkę, no i cały palec poharatany... Ale życie jej uratowała ta obrączka... to jest pierwszy wypadek w historii, żeby małżeństwo komuś

uratowało życie — śmieje się i ja też uśmiecham
się, z grzeczności.

— Hanka, co z twoim okiem, Jezu, jak ty wyglądasz! Byłaś u lekarza? Co się stało?
— Nic.
I wyraz niedowierzania w oczach Kamili z mar-
ketingu.
— Słowo honoru, nic. — Honoru już dawno nie
ma, można na honor przysięgać spokojnie, przysięgać można bez wyrzutów sumienia. — Nic, szorowałam szafki, pootwierałam wszystkie, wyjęłam
naczynia, zebrało mi się na generalne porządki bez
świąt i oto skutki. — Słowa płyną potokiem rwi-
stym, żeby nikt nie przerwał, nie spostrzegł, że to
głupie. — Teściowa zapytała, ile razy do roku myję
szafki wewnątrz, wyobrażasz to sobie? — Mówić,
mówić, nie patrzeć na twarze. Współczujące czy
pełne politowania? — On zresztą pomagał mi wy-
kładać folią, nie zauważyłam, że otworzył tę koło
kuchenki, odwróciłam się i dobrze, że mnie przy-
trzymał, bo byłabym spadła z taboretu, w samo
oko trafiło, daj spokój, w tym wieku, taki refleks,
no i jak wyglądam? — Śmiech, wszystko zdążyłam
opowiedzieć, że mąż dobry i pomaga, że teściowa... — No cóż, na drugi raz muszę uważać...
— Brzydko to wygląda...
— Ach, żebyś widziała mnie dwa dni temu! Mąż
to samo powiedział, obłożył mnie lodem jak śpiącą

królewnę, teraz do błękitnej linii możesz dzwonić, powiedział... — Co ja za bzdury plotę, śpiąca królewna nie była przechowywana w lodzie, ale to nic nie szkodzi, to tylko mała wpadka.

Teraz można robić, co się chce. Pojechał. Można włączyć telewizor i oglądać jakiś miły film. Ale w telewizji nie ma miłego filmu, można poczytać, ale może włączę pralkę, nie ma co prawda dużo rzeczy do prania, ale będzie lepiej, jeśli nawet to zostanie wyprane. Więc pralka, na krótki program. On tak lubi porządek.

Mogę zadzwonić, gdzie chcę, i porozmawiać, z kim chcę. Nawet długo.

Tylko o czym? Co mówić? Można posłuchać tego, co ktoś powie, a potem niezmiennie unikać jak ognia przykrych pytań:

— A co tam u ciebie, długo się nie odzywałaś?

— Stało się coś?

— O rany, co to za święto, że dzwonisz?

Więc lepiej nie. Lepiej poczytać.

Można poczytać nawet harlequina, skoro wyszedł.

Już siódma.

Może zadzwonić do Joasi?

Lepiej, żeby telefon nie był zajęty, on może zadzwonić.

— Miałaś siłę, by gadać, nie byłaś chora, a wyjść to ci się nie chciało! — nie, lepiej nie.

Zresztą Joasia by się zdziwiła, nie rozmawiamy od dwóch miesięcy, jakoś nie było czasu.

Od ostatniej wizyty u nich. Bardzo miłej. On powiedział przed wyjściem:

— Wiesz co? Dzisiaj ja prowadzę.

Ucieszyłam się, bo to znaczyło, że nie będzie pił, po drinkach zawsze był bardziej pobudliwy, więc może będzie dobrze.

Mąż Joasi był bardzo miły. Miły dla mnie, niestety. Podawał, częstował, pytał o coś.

I to się chyba mojemu mężowi nie podobało, bo odpowiedział za mnie:

— Hania na pewno ma już dosyć.

I mąż Joasi powiedział nieopatrznie, ale wesoło:

— No, co ty, stary, tak Hanię naszą temperujesz? Ona sama nie potrafi powiedzieć, czy ma ochotę, czy nie?

Nie pamiętam, czy chodziło o dokładkę barszczu, czy o drinka, na którego i tak nie miałam ochoty, czy może o to, żebyśmy jeszcze posiedzieli.

I kiedy wracaliśmy, zahamował przy placu Konstytucji, wysiadł z samochodu, przeszedł do okna od mojej strony i powiedział:

— Skarżysz się znajomym na niedobrego męża, tak? Wiesz, jak się czułem? Jak idiota. Wystawiłaś mnie na pośmiewisko. Sama wrócisz do domu — i poszedł, zostawiając mnie w samochodzie z kluczykami w stacyjce.

Chciałam mu wytłumaczyć, że się myli, że nic podobnego, ale nie słuchał, więc pojechałam do domu.

Najpierw usiłowałam zgadnąć, co się z nim dzieje,

potem złościłam się,

potem złościłam się na męża Joasi. Dlaczego się wtrąca w cudzy związek? Niech zajmie się swoim! Prosił go ktoś o interwencję? Tak było miło…

A potem umierałam ze strachu, że mojemu mężowi coś się stało, może ktoś go napadł, może ktoś go przejechał, może już nie żyje.

A potem umierałam ze strachu, że nic mu się nie stało, że wróci…

Wrócił nad ranem z bukietem róż, położył na poduszce, bełkotał:

— To dla ciebie, przepraszam, kochanie, to już się nigdy nie powtórzy, tylko po kwiaty pojechałem na dworzec, tak cię kocham…

Rano zerwał się do pracy, jak zwykle świeży, kawa była już zaparzona i mleko zero pięć przygotowane, i nie zapytałam go, gdzie był w nocy, bo nie chciałam go denerwować, błędy trzeba wybaczać, zapominać, nie wracać do tego, co było.

Tym razem nie trafiłam.

Wypił kawę duszkiem, na mnie nie spojrzał, w drzwiach się odwrócił i powiedział:

— Nawet nie zapytałaś, gdzie byłem. Nie życzę sobie z nimi kontaktów. Nastawiają cię przeciwko mnie. Wszystko przez nich, ale ty, oczywiście, zrobisz, co uznasz za stosowne.

Więc uznałam za stosowne unikać z nimi kontaktów.

Jeszcze było parę telefonów.

— Co słychać?

— W porządku. A u ciebie?

— U mnie też.

— Może się zobaczymy?

— To świetny pomysł, na pewno się zdzwonimy. Dobrze?

— Oczywiście.

— To do zobaczenia.

Chcę Ci się pochwalić, że wczoraj wreszcie dokonałam ostatnich formalności, trzeba było wpłacić jakąś sumę, żeby zostać członkiem spółdzielni, więc wpłaciłam. Za dwa tygodnie będzie zebranie zarządu i wtedy mnie przyjmą. Zapłaciłam również podatek, wyobraź sobie, policzyli mi od tamtego dnia, od dwunastego lutego, a przecież minęły dwa lata.

Wiem, że powinnam to wszystko zrobić dużo, dużo wcześniej.

Ale udawałam, że to mnie nie dotyczy.

Kiedyś, dawno temu zgubiłam się na obozie harcerskim. Odłączyłam się od grupy. Oczywiście, nie wołałam, nie krzyczałam w panice, o nie, nic z tych rzeczy. Wszystko było takie samo, jak przedtem, kiedy byli ze mną. Prawie takie samo. Teraz drzewa były grubsze i wyższe, a niebo odleglejsze. Jałowce bardziej przypominały przyczajonych ludzi.

Skręciłam w prawo na rozstajach dróg w lesie. Zawsze, jak nie wiem, dokąd iść, idę w prawo. Oczywiście, w ten sposób mogę zrobić duże koło. Ale lepsze jest koło niż nic. Szłam i szłam, zaczął się las zupełnie inny niż tamten, skąd przyszłam. Kępy trawy pchały się na niewyjeżdżoną drogę, znalazłam na niej nawet dwa czerwone koźlaki. Nie bałam się. Wiedziałam, gdzie jest Wielka Niedźwiedzica i że od północnej strony mech obejmuje drzewa. Umiałam trafić do domu i umiałam wiele rzeczy, choć nikt tego nie zauważył.

Wtedy, w tym lesie, kiedy ciemniało, pomyślałam sobie, że znajdę miejsce, gdzie ludzie mają lepszy wzrok.

Nie znalazłam.

Dziecko? Wydawało mi się, że chciał mieć dziecko. Przecież dlatego namówił mnie na zmianę pracy, tam musiałam być dyspozycyjna, czasem zostawałam w firmie do wieczora (będzie lepiej, jak będziesz mogła więcej czasu spędzać w domu, a jak urodzisz mi dziecko…).

Mi.

Taki wdzięczny zaimek, na który wtedy nie zwracałam uwagi. Urodzisz mi.

Ten zaimek miękki i ciepły, oznaczający bliskość, troskę, czułość.

Nie zmarznij mi.

Nie zgub mi się.

Nie zachoruj mi.

I ostry, nieprzyjazny, zagrażający.

Nie spóźnij mi się!

Nie zrobisz mi tego!

Więc — urodzisz mi dziecko.

Ale potem sam dbał o to, żebym nie za szybko była w ciąży.

— Jeszcze mamy czas, nacieszmy się sobą…

— Ja o wszystkim pomyślę — mówił, gładząc mnie po plecach — ty się nie musisz o nic martwić.

Jak dostanę ten program…

Jak staniemy na nogi…

Jak przyjdzie właściwy moment…

Więc uśmiechałam się, kiedy mama mnie pytała, czy myślimy o dziecku.

Oczywiście, myślałam o dziecku aż za często. Myślałam o nim cały czas. O drobnych rączkach, nóżkach, oczkach, o cudownym głosiku, który powtarza:

— Mama, dagai, dagai...

Tak mówiło dziecko Joasi, które wyciągało ręce do zegarka.

Myślałam o oddaniu, myślałam o opiece i trosce, o dobrym wychowaniu, o miłości, o czułości, o malutkich rączkach na szyi, myślałam o ciepłym ciałku, które zasypia w moich ramionach, o mokrym całusku wyciskanym na policzku.

O tak, o dziecku myślałam.

Jak go nie mieć.

— Dobrze ci było? No, może z tego coś będzie — odsuwał się po wszystkim, a ja milczałam, wtulając głowę w poduszkę w niebieskie kwiaty. — Czemu nic nie mówisz? Chcesz spać? Dlaczego ty taka jesteś? Co ja ci robię, że wiecznie masz pretensję?

Raz ośmieliłam się powiedzieć:

— Nie mów tak do mnie, rozmawiajmy normalnie.

Już więcej nie popełniłam tego błędu.

— Normalnie? Ciekaw jestem, co to dla ciebie znaczy: normalnie — podniósł się na łokciu i zapalił nocną lampkę. W jego oczach była czysta nienawiść. — No, proszę, wytłumacz mi, dlaczego masz nienormalnego męża, chętnie posłucham, proszę.

— Nie to miałam na myśli... źle mnie zrozumiałeś... — wtulałam głowę w poduszkę, jakby miała mnie chronić, a była taka miękka, chciałam być poszewką w niebieskie kwiaty, niczym więcej.

— Ach, źle cię zrozumiałem, to jasne, ja w ogóle mało co rozumiem, ty za to jesteś wyjątkowo mądra, ja oczywiście jestem idiotą, więc oświeć mnie...

— Chciałam tylko powiedzieć, że ludzie...

— Ach, ludzie? Miło usłyszeć od własnej żony, że cię nie uważa za człowieka, to ciekawe, mów dalej, mów.

I poduszka zaczynała palić, paliło się wszystko dookoła, żar był coraz większy i boleśniejszy.

— Gdybyś miała dziecko, głupoty by ci nie przychodziły do głowy — odwracał się plecami i oddychałam z ulgą w niebieskie kwiaty, płytko, cicho, żeby go nie rozdrażnić nieuważnym westchnieniem, skierowanym przeciwko niemu.

— Gdybyś miała dziecko, na pewno byłabyś inna — powiedział z pretensją, kiedy kolejny raz kupowałam podpaski.

Nie mylił się. Byłabym inna.

I nie byłabym sama.

Ale tego własnemu dziecku nie mogłam zrobić.

Więc odkładał wieczorem na nocną szafkę Faulknera, a potem odwracał się do mnie, wsadzał mi rękę między nogi i mówił:

— Znowu nie masz ochoty?

Niestety nie był odwrócony plecami, nie, skóra się na mnie jeżyła i modliłam się, żeby tego nie zauważył. Bardzo nie chciałam go denerwować, a jego głos był zimny jak lód. Nie wiedziałam, co powiedzieć, nogi same mi się zamykały przed lodowatością tego głosu, który mroził mnie również *tam* od wewnątrz, a który był głosem mojego męża przecież, nie obcego, męża, któremu obiecałam, że nie opuszczę go aż do śmierci. I chciałam umrzeć. Żeby dotrzymać słowa.

Udawałam więc zaspanie i tak jak przez sen odwracasz się czasami, tak próbowałam się odwrócić. Ale zapalał światło. Mrużyłam oczy jak osoba zerwana z głębokiego snu, a on przyglądał mi się przez najdłuższe chwile w życiu i mówił:

— Przecież widzę, że nie śpisz.

I jego głos nie był lodowaty, już drgała w nim zapowiedź siły, wiedziałam, że za chwilę udowodni mi, że nie śpię, że go pragnę, że marzę o tym, by kochał się ze mną, i uśmiechałam się tymi niegrzecznymi wargami, które odmawiały mi w tak ważnej chwili posłuszeństwa.

— Nie śpię, oczywiście, że nie śpię…

Odwracałam się do niego, żeby prędzej *to* się stało. Żeby go nie urazić. Żeby nie wyszedł teraz do drugiego pokoju, żeby nie siedział tam samotnie i żeby potem nie przychodził do łóżka, kiedy zmęczona czuwaniem, nagle i niespodziewanie zasnę i nie obudzę się, zanim mnie nie szarpnie i nie wywlecze na środek pokoju, jak poprzedniej nocy, krzycząc, żebym się wynosiła, i bełkocząc, że jestem jego miłością, że się przeze mnie zabije, ale przedtem udowodni, kto tu rządzi, i że nie mogę mu tego robić, i pamiętam ból i jego ciężkie ciało rzucone na mnie i odciśnięty na plecach róg od dywanu.

Więc już nie broniłam się przed głosem swojego męża i nachylałam się nad nim w przymusie bycia dobrą żoną i czasem to skutkowało, nie robił nic, żeby mi sprawić ból.

A czasem nie.

Tym razem, kiedy był już na mnie, spojrzał mi prosto w oczy i zobaczył to, co starałam się tak dobrze ukryć, bo ścisnął mnie za szyję i wycharczał:

— Zabiję cię.

Ale nie zabił.

Jeszcze wtedy nie.

Nie wiedziałam, co się dzieje. Tuż po wschodzie słońca świat zaczynał być mroczny. Niby nic, niby świeciło, rozjaśniało się, roziskrzało, złociło i srebrzyło, ale w każdej kropli rosy była zapowiedź ciemności. Jakbym nie umiała dostrzec *poza*. Kurtyna oddzielała mnie od reszty świata. Widziałam ludzi, słyszałam słowa, ale *dwuwymiarowo*. Trzeciego wymiaru nagle mi zabrakło. Świat był płaski jak kartka papieru.

Od razu po przebudzeniu zaczynałam się bać.

Jak spojrzy?

Czy w ogóle spojrzy?

Czy zauważy mnie?

Czy jego wzrok prześlizgnie się na wylot, bez wysiłku, przez moje ciało i zatrzyma na oknie?

— Trzeba by wymyć — powie.

Odwracałam głowę, smugi deszczu zostawiły ślady, owszem trzeba by.

Jak mocne były ślady tego deszczu, skoro przenikały przez moją krew i moje ciało i uprzezroczystniały mnie bez wysiłku?

Przestawałam być. I musiałam coś robić, żeby zaistnieć.

Znikałam.

Predykatyw.

Cóż to za słowo?

To słowo „należy", „trzeba", „powinno się".

Szczątek jakichś czasowników? Ułomek?

Szczątek, który urastał do gigantycznych rozmiarów i zabierał mi życie, wolę, radość.

Trzeba wytrzymać. Należy iść na kompromis. Powinno się być dorosłym.

Skoro nie usłyszałam wcześniej dzwonów ostrzegawczych, to widać wina była we mnie.

Tak bardzo chciałam znaleźć tę drugą połówkę, że los mi ją dał.

Nie mogłam narzekać.

Ale dobra para rozumie się w pół słowa.

— Widziałeś...

— ...ale śmieszna, zobacz, wygląda, jak wyjęta z niemego filmu...

— ...braci Marx.

— Ale chód ma chaplinowski!

— Ty chyba nie wiesz, jak chodził Chaplin.

— Pokaż.

— Nie, raczej tak.

I śmiech wspólny, a drobna starsza pani, w mantylce, posuwa się w stronę przystanku autobusowego, podpiera się parasolką, kapelusik sprzed wojny, elegancki, w tłumie ludzi wyróżniona naszym skojarzeniem, naszym wspólnym uśmiechem, naszym odwołaniem do rzeczy, które wspólnie znamy, naszą zabawą.

A my?

A ja?

Na kolacji imieninowej, zabierał mnie na kolację, nigdy gości, przecież chcemy być sami, prawda? Nikogo nam do szczęścia nie potrzeba, jeśli mamy siebie, więc my przy tym zamówionym stoliku, ryba w sosie cytrynowym podana przez kelnera, świetna, delikatna sola, znakomity sos, nie umiałabym takiego zrobić w domu i lekkie skrzywienie na twarzy mojego męża:

— Średnia, bardzo średnia.

— A mnie smakuje — mówię nieopatrznie. Nielojalnie.

Przeciwko niemu.

A przecież mogłam przytaknąć, co mi szkodziło?

— Widzieliście ten nowy film braci Cohen?

— Znakomity. Byliśmy zachwyceni, prawda?

Nie, nieprawda, zgrabnie zrobiony, ale po co zrobiony? Przemoc od początku do końca świata, co z tego, że bawią się ze mną, z widzem, jakimiś odniesieniami, aluzjami, co z tego, że scenariuszowo odważny, główny bohater przestaje być głównym bohaterem, nie, nie podobał mi się, nie byłam zachwycona.

Przytakuję.

Bo musiałam się zmienić.

Nie stawać okoniem. Nie upierać się przy swoim zdaniu. Kompromis jest konieczny w dobrym związku.

Wtedy wszystko będzie dobrze.

Zawsze lepiej mieć nadzieję, niż nie mieć.

Miałam kiedyś koleżankę, rzuciła się z okna. Może w chwili skoku, a może już w locie z dziewiątego piętra na warszawskim osiedlu, na Mokotowie, zaczęła żałować. Leciała niedługo, byli tacy, co widzieli, i nie umarła od razu, o nie.

Leżała na trawniku, a lato tego roku było mokre, a trawnik puszysty, sierpniowy, skrzętnie ukrywał gówna psie, kawałki chleba wyrzucane przez okna, torby plastikowe i inne śmieci; trawnik miękki, ale za twardy na jej młode ciało. Leżała z podwiniętą nogą, może złamaną w biodrze, a może gdzie indziej, bo właściwie noga leżała obok niej, a ona mówiła do ludzi, którzy nadbiegli znikąd, nagle i wielu ich nadbiegło:

— Nie chcę umierać, ratujcie mnie, proszę, nie zrobię tego więcej…

I rzeczywiście. Nie miała na to szansy.

Przyjechała karetka, dość szybko, ale za późno.

Tak się okazało, że nie jest wieczna.

Skoczyła przez chłopaka. Było to niemądre, bo temu chłopakowi jej skok zrobił najlepiej.

Dziewczyny szturchały się.

— Ty, popatrz, to ten, dla którego…

I:

— Co on w sobie miał, że wolała umrzeć, niż żyć bez niego?

Ale on nic takiego nie miał.

Obnosił się z tym jej wyskoczeniem, na pogrzebie stał z boku, dumny i blady. Urwał się z cmentarza wcześniej, razem z Elką spod siódemki, dla której zostawił Basię. Tę, co ją grzebali.

Rodzice Basi bardzo płakali i nie wiedzieli, dlaczego ona im to zrobiła.

Matka Basi powtarzała do siebie cichutko:

— Dlaczego ona mi to zrobiła?

A ojciec Basi pytał innych półgłosem:

— Dlaczego ona nam to zrobiła?

I nie oczekiwał odpowiedzi.

Jakby to zrobiła im, a nie sobie.

Na cmentarzu pachniało skoszoną trawą, bo cmentarz przylegał do pól, nie wiem, dlaczego chowali ją prawie pod Piasecznem, może tam mieli rodzinę? Była ładna pogoda, przyszliśmy na pogrzeb całą klasą, z wychowawczynią, świeciło słońce, aniołki na grobach przekrzywiały głowy. Niektóre miały zamknięte oczy, niektóre patrzyły w niebo. Kiedy spuszczali trumnę do grobu, liny, na których zjeżdżała w dół, splątały się i trumna się zakolebała. Słyszałam, mogłabym przysiąc, jak Basia po raz ostatni próbuje stanąć, tył trumny bódł niebo, ale zaraz czterech panów, którzy spuszczali Basię, ustawiło ją poziomo, a potem nasypali ziemi, która pachniała ziemią, a potem położyli kwiaty, które pachniały dusznym zapachem umarłych kwiatów. Rodzice Basi odeszli od grobu, powtarzając dlaczego, dlaczego, ktoś do nich podszedł, ale tatuś Basi wyciągnął rękę, tak jakby stał na pasach i pilnował przechodzących dzieci. Stop!

I ten ktoś stanął, nie podszedł do nich. I nikt już nie miał odwagi podejść.

Ludzie się powoli rozchodzili, ukradkiem, jak ospałe żółwie, udając, że nigdzie im się nie spieszy, a spieszyło się, bo co robić na cmentarzu po pogrzebie? Za bramą wyciągali papierosy, zapalali, mówili głośniej, podbiegali do autobusu. Już wszystko było normalne.

Rodzice Basi myślą zapewne, że czegoś zaniedbali, nie upilnowali, czegoś dla niej nie zrobili.

Nie zauważyli w porę. Może myślą, że gdyby byli inni, to ona też byłaby inna i nie pomyślałaby o samobójstwie.

Ale to nieprawda.

Teraz już wiem, że rodzice nigdy nie są winni temu, że coś przed nimi ukrywamy.

Może ja też byłam inna? Tylko mnie zamienili? Oderżnęli mnie prawdziwą, a zostawili to, co było im niepotrzebne? Skąd mam wiedzieć?

Ja oderżnięta gdzieś się zapodziałam.

Ale miałam przebłyski, jak nie powinno być. Bardzo, bardzo wcześnie, jako dziecko nawet.

Pewnego letniego popołudnia, w czerwcu, lekcje skończyły się wcześniej, rozpalony dzień atakował ze wszystkich stron. Było ze trzydzieści stopni, wracałam do domu, świeciło słońce, nad asfaltową ulicą pojawiła się przezroczysta drżączka. Pachniało spalinami, przez drżączkę widziałam samochody, które drżały, i drżące kawałki ludzi. Do kolan drżeli, wyżej już byli normalni.

Nie chciałam drżeć przez całe życie.

Bieluń dziędzierzawa rośnie wszędzie. Jedni mówią, że roślina ta była dodatkiem do napoju, którym spili się Tristan i Izolda i dlatego nie mogli żyć bez siebie. Że to tylko chemiczny związek wywołał ich wielkie uczucie. W skład tego napoju oprócz bielunia miały jeszcze wchodzić: pokrzyk wilcza jagoda, bukowica i jakieś inne rośliny, także psiankowate, których nazw nie pamiętam. Naukowcy przeanalizowali objawy miłosne i u Tristana, i u Izoldy — i tak ustalili.

Bieluniem można zabić, wywołuje silne halucynacje, a bywa i śmiertelny.

Gdybym naparzyła wystarczającą ilość bielunia, to czy mój mąż by umarł?

Kiedyś jechaliśmy do Krakowa przez Kielce (jedź ze mną, mam tylko krótkie spotkanie, co będziesz robiła sama w domu?), nie katowicką, jest zapchana, zwłaszcza w okolicach Częstochowy, a potem na tej niby autostradzie, pożal się Boże, jednopasmowej, bo drugie pasmo jest w remoncie, i jeszcze trzeba płacić, i jeszcze nadrabia się prawie czterdzieści kilometrów, więc przez Grójec na Kielce drogą numer siedemdziesiąt siedem jechaliśmy.

Już wtedy bałam się również w samochodzie, a on śmiał się i dodawał gazu.

— Nie bój się — mówił — dlaczego ty do mnie nie masz zaufania — mówił i przyspieszał, mimo że było ograniczenie do siedemdziesięciu.

Moje nogi wbite w podłogę, tak jakbym tam miała zapasowy hamulec, a on wciąż przyspiesza. Za Grójcem droga nagle skręca w lewo, przez chwilę ma się wrażenie, że mur budynku, na którym wisi reklama składu budowlanego, stoi na drodze, chociaż nie stoi, wcale nie. Przed tym murem, daleko przed nim powiedział:

— Mnie i tak nie zależy na życiu — i przyspieszył.

Moje serce bije jak oszalałe, przyspiesza jak licznik samochodu, trzepocze, a w głowie czuję nagły ciężar adrenaliny; kładę mu rękę na rozporku i mówię:

— Ale przecież ja tak lubię się z tobą kochać. — Bo nic innego nie przyszło mi do głowy.

I zwolnił, roześmiał się:

— Widzisz, nie boisz się, a jak chcesz, to potrafisz mi zrobić przyjemność, no, nie bierz tej ręki, to będę jechał ładnie, taką cię lubię.

I nie usunęłam tej ręki do samego Krakowa.

Nie chciałam być zła. A wiedziałam, że zło mnie opętało, skoro choć tylko przez sekundę ten bieluń przemknął mi przez myśl.

Wtedy zaczęłam się modlić.

I chciałam zrozumieć dlaczego.

Może gdybym umiała go kochać, byłby inny?

Ale już go nie kochałam.

Już tylko się bałam.

I kiedy myślałam, że tak będzie zawsze, wszystko zmieniło się z dnia na dzień, bez mojego udziału. Nie z mojej przyczyny. Nie dlatego, że czegoś nie zrobiłam, i nie dlatego, że coś zrobiłam.

Wiesz, wczoraj nareszcie zaczęłam porządki tutaj, w kuchni, powyrzucałam prawie wszystko. Pokrywki od garnków, których nie było, garnki bez pokrywek, patelnie bez rączki, które kiedyś miały być przylutowane zapewne, a których nikt już nie naprawi, słoiczki z przetworami, nie wiem, kiedy zrobione. Zostawiłam tylko cukier, bo w mące były małe czarne robaczki. Wylałam sok cytrynowy. Umyłam okno.

Kuchenkę nawet odsunęłam, żeby ją doczyścić. O wiele ładniej wygląda. Chociaż jest bardzo stara i trzeba ją będzie wymienić.

Tapczan i dwa fotele oddaję Marcie, bo wynajęła mieszkanie, a nie ma na razie na meble, przydadzą się jej. Widzisz, pomalutku, pomalutku doprowadzam wszystko do porządku.

Wszystko zmieniło się z dnia na dzień, kiedy złamał mi rękę.

Uderzył mocno, z całej siły drążkiem do ćwiczeń, półtorakilogramowym.

Wyszedł tylko na chwilę do sypialni, myślałam, że skończył ćwiczyć i poszedł się przebrać, że nie ogląda telewizji, i zmieniłam program.

— Zawsze mi robisz na złość — wrzasnął i chwycił mnie jedną ręką, a w drugiej miał ten odważnik, czy tam coś, nie wiem, jak to się nazywa.

I uderzył.

Poczułam ból tak silny i nieznany, że wiedziałam, iż ręka jest złamana. Opadłam na kolana, bez słowa, a ona puchła w oczach. Widziałam czubki jego butów, był w adidasach, i nogawki od dresu, przecież ćwiczył, i nie mogłam ruszać ani ręką, ani sobą.

— Nie udawaj, do ciężkiej cholery!

Trwałam nieruchomo i tylko te buty i te nogawki. I potem cały on. Przykucnął.

Ręka była dwukrotnie grubsza, nie wiedziałam, że to tak szybko, tak natychmiast puchnie, wiedziałam, że trochę albo siniak, ale nigdy jeszcze nie spuchłam tak mocno.

— Jezu, co ja ci zrobiłem… — wyszeptał.

Wtedy odważyłam się spojrzeć na niego.

Był blady.

Wyciągnął do mnie rękę, skuliłam się.

— Hania, Hania… — powiedział cicho.

Podniosłam się. Ręka zwisała i zabolała bardziej. Natychmiast zdjąć obrączkę, myślałam, potem będzie za późno. Z trudem zsuwałam ją z puchnącego palca.

— Jedziemy na pogotowie, Boże, wybacz mi… — powiedział do siebie.

Pojechaliśmy na pogotowie. Prowadził wolno i w skupieniu. Miał twarz człowieka, którego poznałam, pokochałam i poślubiłam, a nie tego, z którym potem żyłam.

Na pogotowiu byliśmy w ciągu piętnastu minut. Jakaś pani kazała nam czekać. Siedliśmy w poczekalni, koło człowieka z zakrwawioną twarzą, przyciskał do czoła jakąś szmatę, a mimo to krwawił i krwawił.

Mój mąż siedział obok mnie ze spuszczoną głową, a potem wstał i podszedł do tej pani, co kazała nam czekać.

— Czy pani nie rozumie, że moja żona cierpi? — powiedział, a ja usłyszałam, że istotnie chodzi mu o mnie, w tonie jego głosu było coś takiego, że ta pani poszła do gabinetu, a zaraz potem kazała nam wejść do lekarza.

— O, brzydko to wygląda — powiedział lekarz. Jęknęłam, kiedy mnie delikatnie dotknął. — Na prześwietlenie najpierw — i zaczął coś wypisywać, a potem podniósł na mnie swoje szare oczy i zapytał: — Jak do tego doszło?

— Upadłam na brodzik — powiedziałam bez zmrużenia oka.

Mój mąż, który siedział razem ze mną w gabinecie, podniósł na mnie swoje piwne oczy, dotąd wbite w podłogę.

Miał wzrok jak pies, bity na śmierć pies.

Kiedy wróciliśmy do domu, ja z ręką w gipsie, ze zwolnieniem na dziewięć dni na razie, *potem proszę się zgłosić do lekarza rodzinnego*, prawa ręka to była na nieszczęście, usiadłam na kanapie w dużym pokoju. Patrzyłam przed siebie i nic nie czułam, nie czułam bólu, dostałam dwa zastrzyki przy nastawianiu, nie czułam smutku, nie czułam strachu. Nie czułam nic.

— Zrobić ci herbaty? — zapytał mój mąż, a dawno mnie o to nie pytał.

— Nie, dziękuję — powiedziałam, bo nie chciało mi się pić.

Nie chciało mi się jeść, nie chciało mi się pić. Nie chciało mi się żyć.

Mimo to przyniósł z kuchni parujący kubek herbaty, pływały w nim dwa plasterki cytryny, lubię herbatę z cytryną.

— Dziękuję — powiedziałam.

— Chcesz coś pooglądać? — zapytał.

— Nie, dziękuję.

— Może chcesz się położyć? — zapytał.

— Tak, mogę się położyć — zgodziłam się, odstawiłam kubek i poszłam do łazienki.

— Pomóc ci? — zapytał pod drzwiami.

Nie wszedł, mimo że się nie zamykam, bo to go drażni, *przede mną się zamykasz, przecież nikogo więcej tutaj nie ma*, więc nie zamykam nigdy zasuwki.

— Nie, dziękuję — powiedziałam.

Trudno jest jedną ręką rozebrać się, umyć, włożyć piżamę.

Kiedy położyłam się na łóżku, byłam spokojna.

Wszedł do sypialni, cicho, delikatnie.

— Może zjesz jabłko? — Wyciągnął ku mnie po-
krojone jabłko na talerzyku.

— Dziękuję — powiedziałam i zasnęłam, nie
wiedzieć kiedy.

Obudziło mnie szlochanie. Otworzyłam oczy
i musiałam sobie przypomnieć, co się stało. Ręka
bolała i było mi niewygodnie. Śpię zawsze na brzuchu, a teraz nie mogłam. Miejsce obok mnie było
puste. Kiedy oczy przywykły do ciemności, uj-
rzałam, że klęczy przy mojej stronie łóżka, opiera
o nie głowę i że to on płacze.

Zapaliłam lampkę, schylił głowę jeszcze niżej,
w prześcieradło.

Stamtąd zaczęły wyłazić słowa, zupełnie inne
niż te, co zwykle, w ciągu tych paru lat, i powoli
brały mnie we władanie.

— Wybacz mi, wybacz mi, nie wiem, co mnie
opętało. Zrobię wszystko, tylko nie zostawiaj mnie,
wybacz mi, kochana... Nie wiem, co się ze mną
dzieje, przecież ja nie chcę cię krzywdzić, kocham
cię najbardziej na świecie... pójdę się leczyć, jesteś
dla mnie wszystkim, a mogłem na ciebie podnieść
rękę... Nie rozumiem tego, ja tego naprawdę nie
rozumiem...

Brzmiało to: aprawdeeee nierozuuu umiem.

Wycierał wierzchem dłoni nos i naprawdę szlo-
chał.

Pierwszy raz widziałam go płaczącego i zrozu-
miałam, że coś się zmieniło.

— Kiedy powiedziałaś, że uderzyłaś się... o brodzik, a przecież mogłaś powiedzieć prawdę, uwierz
mi, poczułem, że wolałbym sobie odciąć rękę niż
cię skrzywdzić... Haniu, popatrz na mnie... Przysięgam na Boga, ja się zmienię, ja ci to wszystko
wynagrodzę, ja będę inny, tylko daj mi szansę, bła-
gam...

Widziałam jego twarz i oczy — on nie kłamał.

Ogarnęło mnie poczucie szczęścia.

Widać, trzeba spaść na dno, żeby się od niego
odbić.

Wyciągnęłam do niego dłoń, tę zdrową. Chwycił ją, jak tonący chwyta brzytwę, i schował w mojej dłoni twarz.

— Byłem ślepy, byłem głupi, kochana, moja kochana — szeptał w tę moją dłoń. — Nigdy nie będziesz tego żałować.

A ja wiedziałam, że teraz, dzisiaj, na pewno nie
mogę go odtrącić, ponieważ nie skazuje się człowieka na śmierć z powodu jednego błędu.

Nikt nigdy nie był dla mnie taki dobry, jak on
potem.

Następnego dnia zwolnił się z pracy, przyszedł
z ogromnym bukietem róż, bladoróżowych, i z ze-
stawem suszi, żebym nie martwiła się o obiad.

Położył róże na czarnym blacie, odwróciłam się
do niego, miał sińce pod oczami, wzrok tamtego

psa, nieśmiało wyciągnął przed siebie paczkę z japońskiej restauracji.

Uśmiechnęłam się słabo.

Zbliżył się i delikatnie mnie objął. Pocałował we włosy, czułam to, choć przecież włosy nie czują.

— Siadaj — powiedział — od dzisiaj jesteś moją księżniczką, a ja twoim sługą.

Nie chciałam mieć przy sobie sługi, chciałam mieć męża, dobrego męża.

— Chcę mieć męża — powiedziałam po raz pierwszy od wielu miesięcy to, co myślałam.

— Teraz będziesz miała — odpowiedział poważnie i podsunął mi krzesło. — Jeśli mi na to pozwolisz, jeśli mi wybaczysz…

Milczałam.

Wyjął naczynia i po raz pierwszy nakrył do stołu.

Lubię suszi, wiedział o tym, kiedyś, przedtem. To miło, że przypomniał sobie. Jedliśmy w milczeniu, patrzyłam na jego zmęczoną, niegroźną twarz, widziałam, że się stara, że zrobił wszystko, co było w jego mocy.

Po obiedzie usiedliśmy na kanapie. Był poważny, wyjął z kieszeni malutkie pudełko.

— Chcę, żebyś wiedziała, że wszystko zrozumiałem. Nie liczy się nic oprócz ciebie i mojej miłości do ciebie. Przepraszam, choć wiem, że za to, co zrobiłem… — głos mu się załamał, a ja zobaczyłam w nim znowu mężczyznę z przeszłości, tej jasnej, dobrej i pełnej nadziei — jeśli mi dasz jeszcze jedną szansę, to przysięgam ci na moją głowę, nie pożałujesz...

I popatrzył na mnie, jakby szukając ratunku, tak, szukając u mnie ratunku.

Delikatnie zbliżył moją twarz do swojej i po raz pierwszy od miesięcy poczułam słodki smak prawdziwego pocałunku, pełnego delikatnej czułości.

Widać złe rzeczy muszą się zdarzać, bo po nich następują rzeczy wspaniałe.

— Wybaczysz mi, prawda? — tyle nadziei było w jego głosie.

Pogłaskałam go po policzku.

Wszystko można zacząć od początku. Zawsze.

Pocałował mnie w środek dłoni, tak czule, że roztrzepotałam się.

A potem dał mi pudełeczko.

W środku leżał najpiękniejszy pierścionek świata. Taki, o jakim marzyłam, a jakiego nigdy jeszcze nie dostałam.

— Na znak, że tylko przyszłość się liczy — powiedział i wsunął mi pierścionek na palec. — Nigdy go nie zdejmuj.

Patrzyłam na swoją dłoń.

— Nigdy nie będziesz musiała go zdejmować — dodał cicho.

— Wiesz, jak się teraz czuję, jakby ktoś odsunął głaz, który mnie przygniatał, tak mi ciebie brakowało — mówił i bawił się moimi włosami, leżałam z głową na jego kolanach, płyta Barry'ego White'a pobrzmiewała basami. — Teraz naprawdę jestem szczęśliwy. A ty?

A mnie było dobrze z jego palcami we włosach, tak czułymi jak kiedyś. Już nie pamiętałam, że mogłam się bać o swoje włosy. Oto stał się cud, wystarczyło wytrzymać.

— Kocham cię — powiedział, nachylając twarz do mojej twarzy.

— Kocham cię — odpowiedziałam, zanim mnie pocałował.

Nie wspominałam, że obiecał gdzieś iść, coś z tym zrobić, leczyć się, to już było niepotrzebne.

— Wiem, że jesteś dobry — szeptałam w nocy, kiedy skończyliśmy się kochać, a było jak kiedyś — wiem, że jesteś wspaniały, i wiem, że taki będziesz...

A on przytulał się do mojej pachy, do mojej ręki bez gipsu i szeptał:

— Dzięki tobie i dla ciebie taki chcę być...

A ja modliłam się, żeby być w ciąży.

Pojechałam do pracy z kolejnym zwolnieniem, Kamila spotkała mnie na schodach.

— Kwitniesz Haniu, cóż to się stało?

— Złamałam rękę — mówiłam i wiedziałam, że to najlepsza rzecz, jaka mi się zdarzyła w życiu.

Kiedy wróciłam do domu, mój mąż stał przy zlewie. Garnki ociekały na suszarce. Podeszłam do niego, uśmiechnął się.

— Przypalony garnek też wyszorowałem — powiedział z dumą.

— Fajnie — powiedziałam — ja nie dawałam rady.

Wytarł ręce, zakręcił wodę. Odsunął mnie od siebie.

— Co robisz? — zapytałam i starałam się uspokoić trzepot, który był gotów do odlotu.

— Muszę się ciebie nauczyć na nowo — powiedział. — Odpocznij.

Poszłam do łazienki i rozpłakałam się z radości.

Wszedł tam za mną, zobaczył łzy, których tym razem się nie wstydziłam, objął mnie i wyszeptał:

— Dziękuję, że jesteś...

— Myślisz, że na zwolnieniu możesz wyjechać za granicę? — zapytał mnie w parę dni później.

Spojrzałam na niego, miał łobuzerskie spojrzenie, takie jak kiedyś.

— Nie mam pojęcia, chyba nie, muszę być w miejscu zamieszkania — powiedziałam. — Mogą mnie zwolnić z pracy.

— To niech cię zwolnią! — powiedział, podniecony, i położył na blacie jakieś papiery. — Zobacz.

Spojrzałam. Happy Travel, informowały papiery, zabiera nas do Egiptu, nad Morze Czerwone.

Pojutrze.

— Przecież marzyłaś, żeby tam pojechać! — wziął mnie w ramiona.

Nie mogłam powiedzieć, że nie teraz, nie z ręką w gipsie, nie mogę nawet pływać, ale miał taki rozradowany wzrok, że uścisnęłam go mocno.

— Kochany jesteś! — powiedziałam.

Polecieliśmy do tego Egiptu. Hotel był ładny, basen, w którym nie mogłam pływać przy hotelu, też był ładny, rafy koralowe, które pokazywał mi na zdjęciach, specjalnie kupił mały podwodny aparacik, były fantastyczne. Morze, w którym nie mogłam się zanurzyć, było ciepłe, ale widziałam piramidy, choć jechaliśmy czternaście godzin autokarem.

Właściwie było pięknie, choć przemknęło mi przez myśl, że mógłby poczekać, aż zdejmą mi gips. Ale nie chciałam mu psuć radości z niespodzianki.

Teraz wystarczaliśmy sami sobie. Teraz chciałam być z nim, tym dobrym mężem, tym, który coś zrozumiał, tym, który już wiedział.

Wtedy zaczęłam myśleć o dziecku inaczej. Zbliżał się czas, kiedy mogłabym zostać matką, a moje dziecko miałoby dobrego ojca. Kochaliśmy się codziennie, jak nigdy przedtem, chociaż było trudniej przez ten gips.

— Ładny gips — śmiał się, jak położyłam mu moją ogipsowaną rękę na brzuchu. I śmialiśmy się do rozpuku i w ogóle nie mogliśmy przestać.

Którejś nocy pocałował mnie w ramię.

— Może tym razem się udało?

I wiedziałam, co ma na myśli.

— Może — powiedziałam. — Odstawiłam tabletki w zeszłym miesiącu.

Został mi jeszcze mały pokój, tam nie mam odwagi się poruszać swobodnie. Nie wiem, co zrobić z lekarstwami, wszystko pewnie przeterminowane, ani z listami, ani z fotografiami ludzi, których nie znałam. Czuję się nie w porządku, zaglądając w pudełka, szuflady, kasetki, w których zostało coś schowane przecież również przede mną.

Ale trzeba to zrobić, wiem.

Kiedy mu powiedziałam o tych tabletkach, podniósł się i wyszedł z sypialni. Ale we mnie nie było śladu niepokoju. Jeszcze nie. Leżałam zmęczona rozkoszą, senna już, i czekałam, kiedy wróci. Nie wracał długo, więc podniosłam się.

Siedział w pokoju przed telewizorem, włączonym, na wyciszonym ekranie biegali ludzie.

— Co ty robisz? Chodź do łóżka — powiedziałam, a on nie odwrócił głowy.

Podeszłam do kanapy, siedział nieruchomo i milczał. Siadłam obok niego, położyłam dłoń na jego ręce.

Odwrócił się już Mr Jekyll. Zwłaszcza ten wzrok, ten grymas…

Jakby tych trzech tygodni nie było.

— Co, kurwa, zadowolona jesteś z siebie?

Strasznie się rozpisałam. Jest późno. Ale nie śpię, nie udaję, że śpię, piszę do Ciebie o wszystkim.

Aż się dziwię, że potrafię.

Cieszę się, że potrafię.

Teraz nie zgrzeszę zaniechaniem. To nie takie trudne. Dlaczego tak późno? Przecież mogłam porozmawiać z Tobą wcześniej, zanim…

Jeśli wszystko Ci opowiem, opowiesz mi o sobie? Jak? Jak to zrobisz?

Tylu rzeczy nie wiem, domyślam się niektórych, szczególnie teraz. Nie będę Cię osądzać. Kocham Cię. Naprawdę.

A potem ubrał się i wyszedł.

Mimo że była noc.

Nie spałam, czuwałam. I modliłam się, żeby nie być w ciąży, nie teraz, nie z nim. Modliłam się o to tak żarliwie, jak nigdy przedtem. Modliłam się o to i przepraszałam Boga za to, że się o to modlę.

Wrócił nazajutrz.
— Gdzie byłeś? — zapytałam.
— Nie twój interes — powiedział i zniknął w sypialni.
Kiedy tam zajrzałam, leżał z książką w poprzek łóżka, nawet na mnie nie spojrzał.
Wstał wieczorem. Już byłam sztywna.
— Przepraszam — powiedział — to się więcej nie powtórzy. Tak mi się strasznie przykro zrobiło, że mnie oszukiwałaś... To było nie do zniesienia. Daj mi aspirynę, boli mnie głowa...
i dałam mu aspirynę.

Powoli zaczynało być normalnie. Zdjęli mi gips, ręka była teraz chudsza niż ta druga, pokazali mi ćwiczenia, jakie muszę robić, gnieść piłeczkę na przykład. Więc bawiłam się piłeczką tenisową, oglądając razem z nim dziennik.
— Ty mi to specjalnie robisz! — krzyknął na mnie pewnego wieczoru.
— Co?
— Nigdy mi nie wybaczysz! Wiem! Będziesz moim chodzącym wyrzutem sumienia! Myślisz, że nie wiem, dlaczego popisujesz się na moich oczach z tą piłką! Pamiętam, co zrobiłem, pa-mię-tam!!!

Trzasnął drzwiami i wyszedł.

Znowu coś zrobiłam nie tak.

Schowałam piłkę i nie ćwiczyłam przy nim. W telewizji coś migało, coś zmieniało się w coś innego, nie słuchałam, nie oglądałam.

— Dlaczego nie ćwiczysz? — zapytał.

Milczałam.

— Mnie na złość?! — wrzasnął.

Zatrzepotało i nie chciało przestać.

Milczałam.

— Mogę stawać na głowie, ale oczywiście ciebie nic nie zadowoli. Mam tego dość!

Szybko wróciłam do siebie tamtej.

Tylko okres mi się spóźniał, chociaż ze wszystkich sił modliłam się, żeby jeszcze nie. Boże, jeśli istniejesz, nie rób mi tego, proszę, choć wiem, że nie można się modlić o takie rzeczy.

Kiedyś, w przyszłości, tak, ale teraz nie pozwól mi mieć tego dziecka.

Dlaczego nie pamiętałam tego, co dzisiaj tak dobrze pamiętam?

Dlaczego wcześniej nie mogłam sobie przypomnieć?

Dlaczego dzisiaj widzę ten wieczór tak jasno, jakby to było wczoraj, a nie lata temu?

— A co byś zrobił, gdybym ja miała takiego męża? — zapytałam Cię, a było to po jakimś programie, jakimś kolejnym toku na temat przemocy, jakimś kolejnym gadaniu z ofiarami, które odważnie w telewizji mówiły o swoich niedobrych mężach i które potem wracały do tych domów z tymi mężami.

Powiedziałeś:

— Zabiłbym skurwysyna — i to był pierwszy i ostatni raz, kiedy usłyszałam z twoich ust przekleństwo.

Więc może nie mogłeś wiedzieć wcześniej o wszystkim, bo nie chciałam, żebyś zabił kogokolwiek.

A może, gdybym pamiętała, co wtedy powiedziałeś, opowiedziałabym Ci o wszystkim.

Ale nie mogłam o tym nikomu powiedzieć.

Bo będzie, tak jak w życiu bywa — skoro cię uderzył, to znaczy, że miał powód.

Przecież bez powodu nikt nikogo nie uderza.

Znienacka.

Krzesłem.

Pięścią.

Otwartą dłonią.

W nocy.

Rano.

Przed obiadem.

W łazience.

Nie, to przecież niemożliwe.

Sama się o to prosiła.

Może to lubi?

Gdyby nie lubiła być bita, toby odeszła, prawda?

Nieprawda.

Świata nie ma, kiedy ktoś cię upokarza. Świat zewnętrzny przestaje istnieć. Nie ma rodziców, nie ma prawników, nie ma terapeutów, nie ma przyjaciół. Jesteś tylko ty i on. Oprawca. Od niego zależy, czy się wyśpisz, czy nie, czy zatrzyma samochód na stacji benzynowej, jeśli chce ci się siusiać, czy nie, i będziesz musiała cierpieć do samego domu, czy dzień będzie udany, czy nie. Czy przeżyjesz ten dzień, czy nie.

O tym wszystkim wiesz dopiero wtedy, kiedy z nim żyjesz. Nie wcześniej. To jest tak, jak doświadczenie śmierci, o tym, jaka ona jest, wiedzą tylko ci, co już umarli.

Więc cztery ściany i niemożność przywołania do życia pana Hyde'a. On co prawda zjawia się, ale tylko na chwilę. Ale w moim brzuchu już się dokonał cud połączenia, przekleństwo połączenia.

Jak mam pogodzić się z własnym dzieckiem, które już się zagnieździło w macicy? Już jest ze mną połączone zaczątkiem łożyska i pępowiny? Już jego maleńkie komórki różnicują się na warstwy, z każdej z nich, endo-, mezo-, ektodermy, powstają narządy. Może już ma główkę, główka jest na początku największa.

Więc moje dziecko zaczyna rosnąć każdego dnia jeden milimetr.

A mój mąż na pytanie:

— Która godzina?

Odpowiada:

— A co? Już ci przeszkadzam? Za mało pracuję na ten dom? Mało ci tego wszystkiego? Co jeszcze mam dla ciebie zrobić? Słucham!!!

Więc nie mówię mu o dziecku na razie. Nie mówię nic, nie chcę, żeby mnie szarpał, pilnuję się, ograniczam, w domu podlewam kwiaty i czyszczę sztućce. Wracam z pracy, zmęczona, ale krzątam się po domu, i to też niedobrze, i znowu wszystko, co robię, jest nie tak.

— Ty mi specjalnie chcesz coś pokazać, do cholery! Mam tego dosyć! Jeszcze pożałujesz!

I tak mijały kolejne tygodnie.

— Zrób zakupy — mówił i zostawiał dwieście złotych na czarnym blacie w czerwonej kuchni, której nienawidziłam.

Robiłam zakupy.

— Nie rozliczyłaś się z pieniędzy — mówił.

Więc dodawałam słupki, z pamięci: kasza, wołowina, pomidory.

— Chciałbym wiedzieć, na przykład, ile kosztowały pomidory — mówił. — Tak trudno jest zapisać?

Pomidory kupowałam razem z włoszczyzną, ogórkami kiszonymi na zupę ogórkową i jabłkami. Razem koło dwudziestu złotych.

— Nie rozumiesz, co mówię? Pytam, ile kosztowały pomidory.

— Za pomidory, jabłka, włoszczyznę i ogórki zapłaciłam koło dwudziestu złotych.

— Kurwa, ty udajesz, znowu udajesz!

Kuliłam się z przerażenia. Mój mąż, wykształcony, dwujęzyczny, kulturalny człowiek, z nie używaną już składnią wobec matki: *czy mama pozwoli?* lub *czy nie zechciałbyś*, z wyrazami szacunku dla innych i z kurwą dla mnie?

Kuchnia była taka wygładzona, obca, nie było się gdzie schować, chciałam wtopić się w ścianę i pozostać niewidzialna.

Patrzyłam na niego i przestawałam słyszeć.

Wiedziałam, że złotówki strącone w przepaść tracą prawo istnienia z każdym metrem. Metry podzielone na centymetry pęcznieją. Centymetry dzielą się w powietrzu na milimetry i opadają w postaci drobnych kryształków. Przyspieszenie g równe mc kwadrat podzielone przez dwa przestaje się dziać w sekundzie do kwadratu, kwadraty łagodnieją, prostokątne kąty zaokrąglają się, fruwają jak niewielkie kulki baniek mydlanych...

— Teraz rozumiesz, o co chodzi?

Kiwam głową, że tak, rozumiem. Rozumiem przecież. Ten i ów nie zdążył się przepoczwarzyć i spogląda na świat jako trapez. Bez poczucia czasu mkną latami świetlnymi w przestrzeń. Bezradne kilogramy drepczą obok, rozlewają się szeroką strugą i zaczynają kapać w głąb. Naprężenie i opór poddają się. Swoboda atomów luźno przemieszczających czas jest godna zazdrości. Bęc, bęc, odbijają się od dna jak puste piłeczki i wędrują w górę... Przestrzeń skłania się raz w jedną, raz w drugą stronę...

— Dlaczego ty mnie do tego zmuszasz?

Znam to na pamięć.

To nic.

To minie.

Jeszcze chwila.

Nie podnosić głowy, z nosa kapie krew.

To nic.

Boli, boli, ale wytrzymam. To nie jest straszny ból.

Nieskończoność wije się jak wąż.

Oswojone ósemki odpełzają...

Leżę w łóżku i czekam. Co zrobi, jak wejdzie do sypialni? Może nic? Mam zamknięte oczy, ale jestem Jedną Wielką Czujnością.

Wchodzi do łóżka, gasi światło.

Odwraca się do mnie, przewraca mnie ku sobie, jestem jak kłoda drzewa, przecież on to musi czuć, przecież nie można mieć przyjemności z kłodą drzewa.

— A co ty znowu kombinujesz? Obraziłaś się? Karcisz mnie?

— Nie, nie, ale jestem zmęczona...

— No to załatwmy to szybko, no.

I odwraca się, stacza się ze mnie, a ja boję się iść do łazienki, zmyć z siebie ten wstręt, który mnie wypełnił po brzegi, bo może jeszcze nie śpi, może rzuci się na mnie, może ściśnie z całej siły.

— Brzydzisz się mnie? Powiedz prawdę, ty dziwko, brzydzisz się mnie...

Brzydzę się go.

Więc tak, żeby nie poczuł żadnego ruchu, biorę chusteczkę higieniczną, powoli zbliżam do ud i wycieram się z niego wolno, bardzo wolno, żeby nie zauważył.

Moje dziecko ma już powieki, lekko przymknięte. Serduszko ma dwa razy szybsze niż moje. Ma już malutkie rzęsy i maleńkie brwi. Całe ciałko jest pokryte meszkiem, jakby było powleczone aksamitem. Niedługo poczuję jego ruchy.

Nie jestem sama.

Muszę uciekać.

Chciałabym być źrebakiem, one nie znają ogrodzeń ani powinności, biegają w kółko lub tarzają się w ciepłym piasku, roześmiane odbiegają od matek, aksamitne pyski wyciągają do siebie, lekkie dotknięcie, parskają, odskakują, gonią się w tumanach złotego kurzu, w zieloności traw. Niektórym urosną skrzydła. Wtedy uniosą się w powietrze, znikną w błękicie nieba, nie można ich będzie odróżnić od gwiazd, żaden ślad nie zaświadczy za nimi. Staną się pegazami, aniołami koni.

A ty gdzie jesteś, mój Aniele Stróżu? Gdzie ty jesteś?

Nie wiem, co mam zrobić, nie ma drzwi ani okien. Jestem w schronie przeciwatomowym, mogę oddychać, jeść, spać, ale nie mogę wyjść.

Nie mam gdzie wyjść. Nie mam dokąd pójść. Mogę się tylko coraz bardziej starać. Mogę się tylko starać. Starać przetrwać.

Na paluszkach podobno już ma paznokietki. I pływa radośnie w wodach płodowych. Nie wie, że ma taką matkę. Niekompletną.

Już wiadomo, czy to chłopiec, czy dziewczynka. Ja jeszcze nie wiem, żadne USG tego nie stwierdzi.

Połowa trzeciego miesiąca. Schudłam. Muszę coś zrobić, muszę coś zrobić, muszę coś zrobić...

Co mam robić?

Nie powiedziałam nikomu, nic. Ale wiem, że serduszko już bije, widziałam i słyszałam na USG, moje dziecko ma już rączki, przypominają trochę płetwy, ale kręgosłup już jest. Przynajmniej moje dziecko ma kręgosłup. I przestaje mieć ogonek.

Może nie doszłoby do tego, gdybym mu powiedziała. Może zrobiłam znowu błąd. Chciałam mu powiedzieć, ale kiedy będzie w dobrym humorze, wtedy siądę, wezmę go za rękę, powiem:

— Będziesz ojcem, tak się cieszę, że będziesz ojcem mojego dziecka. Zacznijmy wszystko jeszcze raz, od początku...

Ale jakoś takiego momentu nie było.

Znowu było lodowato, napięcie zagnieździło się na stałe w naszym mieszkaniu, wyszło z kontaktów, czaiło się w każdym rogu pokoju, na stole, kanapie, wisiało przy karniszach, nie mogłam się od niego uwolnić. Lepkie jak stara guma do żucia pętało mnie każdej chwili. A ja miałam dziecko w brzuchu i podkulony ogon.

Musiałam przed snem zdjąć pierścionek i obrączkę, zaczęły mi puchnąć palce. Z trudem sobie z tym poradziłam wieczorem, namydliłam ręce, a i tak ślady zostały.

Wpadł do łazienki z tą obrączką i tym pierścionkiem, stałam w wannie i spłukiwałam mydło prysznicem, podstawił mi pod nos zaciśniętą pięść, w niej pierścionek i obrączka, znowu nie byłam ostrożna.

— Co ty kombinujesz?! — krzyknął.

Kucałam w tej wannie naga. To na pewno nie był dobry moment, ale chciałam mu wytłumaczyć, że to nic złego, że to nie przeciwko niemu zdjęłam, tylko mam ręce spuchnięte, bo jestem z nim w ciąży, chciałam to powiedzieć, ale nie pozwolił mi powiedzieć, tylko wyszarpnął mnie z tej wanny, krzyknęłam, bo chwycił mnie za rękę, która jeszcze czasem pobolewała.

— Uważaj — wyrwało mi się z jęknięciem nieświadomym, gdybym pomyślała, nie jęknęłabym przecież, zacisnęłabym zęby.

— Ty kurwo — powiedział bardzo spokojnie — do końca życia mi będziesz wypominać — i wyciągnął mnie z tej łazienki

i wrzucił do dużego pokoju

zostawiałam mokre ślady na dywanie i na podłodze

kuliłam się przed jego wzrokiem

i przed ostrzałem jego słów, ale nie było gdzie się schować.

— Ty zajebana kurwo — powiedział — chcesz mieć pretensję, to będziesz miała powód, popatrz na siebie, jak ty wyglądasz!

146

A wyglądałam na pewno śmiesznie, z tą swoją mokrą nagością i z gęsią skórką.

— Ty myślisz, że taka sprytna jesteś? Że będziesz mną manipulować??? Przypatrz się sobie, co ja z takim gównem u boku robię, ty tylko na siebie popatrz

i wtedy odepchnęłam go, rzuciłam się do łazienki, zamknęłam drzwi na zasuwkę i ukryłam się w szlafroku, i skuliłam się na zamkniętej muszli klozetowej, a moje ciało zaczęło drżeć bez mojego udziału, moje komórki buntowały się przeciwko mnie i drżały, każda osobno, drżały mi ręce i nogi, i głowa, drżałam cała, tak jak w czasie upału drży ulica i samochody, tak jak nigdy nie chciałam drżeć

— otwórz — usłyszałam zza drzwi

— nie — powiedziałam po raz pierwszy.

— grzecznie cię proszę, otwórz — ten spokojny głos mnie paraliżował i skurczyłam się cała

— nie — powtórzyłam.

Kopnął w drzwi, szyba zadrżała, ale zamek wytrzymał, a drżenie powróciło, tylko mocniejsze, zrobiło mi się niedobrze, ale nie chciałam zemdleć, nie teraz, teraz musiałam być silna.

— Ostatni raz do ciebie mówię — przesączyło się przez drzwi.

Teraz mam siłę, żeby się z tym zmierzyć. Teraz mogę o tym mówić.

Na pewno popełniłam jeden grzech, grzech zaniechania.

Zaniechałam siebie.

A potem już tylko szkło poleciało, drugi albo trzeci kopniak wyważył drzwi do łazienki, on wywlókł mnie do pokoju, chwytałam się wszystkiego po drodze

szafki

i upadł wazon, z tej szafki, w którym nie było róż

i klamki

ale oderwał mi ręce

szlafrok rozchylał się, więc walczyłam o ten szlafrok, może nie powinnam była, może gdybym była uległa, tak jak kiedyś, kiedy mnie kopał, i leżałam nieporuszona, nie doszłoby do tego, ale teraz wyrywałam się, walczyłam, ugryzłam go w rękę, puścił mnie na moment, zdumiony —

już byłam w przedpokoju, dzieliło mnie tylko parę kroków od drzwi wejściowych, parę kroków do wyjścia, do wolności, do sąsiadów, do windy, do parkingu, gdzie mogłam w szlafroku wołać o pomoc, bo w jego oczach już nie było litości, to nie były jego oczy, to były oczy zwierzęcia.

Dopadł mnie w ostatniej chwili, u już otwartych drzwi, zatrzasnął je, odciągnął mnie w głąb mieszkania.

— Co ty, kurwa, chcesz mi zrobić — powiedział mój mąż, mój kulturalny mąż, pracownik telewizji publicznej, znany i ceniony, z pensją wielokrotnie wyższą od średniej krajowej — co ty, kurwa, chcesz? Myślisz, że możesz mnie tak traktować?

I spojrzał na swoją dłoń, na której były ślady moich zębów.

— Hanusi się coś pomyliło — powiedział, nachylając się nade mną — ale Hanusia sobie zaraz przypomni. O czym Hanuś zapomniała?

Milczałam.

Zasznurowałam usta i milczałam.

— Jeśli teraz Hanusia grzecznie przeprosi, tygrysica moja, to nie będzie kary — powiedział i już, już chciałam powiedzieć, przepraszam, ale moje dziecko, moje dziecko w środku mi nie pozwoliło.

— Powiedz: przepraszam, to nic ci nie zrobię — powtórzył.

I moje dziecko w środku, piętnasto-, a może już czterdziesto-, a może pięćdziesięciomilimetrowe, bo miało już ponad dwa miesiące, a pod koniec trzeciego będzie miało dziewięćdziesiąt millimetrów, powiedziało za mnie:

— NIE.

Nie pamiętam, co było potem.

Chyba mnie kopał, potem wrzeszczał, potem mówił: — Kocham cię, dlaczego ty się nie pozwalasz kochać, potem płakał, obejmując mnie na tej podłodze, potem wybiegł z domu.

Zawlokłam się do łóżka, chciałam tylko spać, spać i nie pamiętać. Wargę miałam opuchniętą i rozciętą, ale nic mnie to nie obchodziło.

Nad ranem poczułam silny ból w dole brzucha, tak bardzo bolało, tak bolało...

Leżałam skulona, z kolanami pod brodą i modliłam się, żeby nic się nie stało mojemu dziecku, ono mnie wybroniło, ja też potrafię je obronić. Nie czułam, że leje się ze mnie krew.

On nic nie wie. Tobie pierwszemu mówię.

Nigdy się nie dowiedział.

Lekarz natychmiast skierował mnie do szpitala na łyżeczkowanie macicy.

— Poroniła pani — powiedział. — A skąd to rozcięcie na twarzy? Ktoś panią pobił? Trzeba zrobić protokół zajścia.

— Przewróciłam się w łazience, zrobiło mi się słabo — powiedziałam i zamknęłam oczy, żeby nie widzieć jego wzroku, w którym było niedowierzanie i litość.

Moje dziecko nie miało nigdy rączek, którymi by mnie objęło, ani uszu, do których bym szeptała, że jest najukochańsze na świecie.

Leżałam na fotelu, jak kura przygotowana do patroszenia, z nogami rozłożonymi szeroko i przywiązanymi w kostkach, a lekarz czyścił moją macicę, usuwał część mnie, część najważniejszą, z każdym ruchem tego strasznego przyrządu, który ranił mnie od środka, umierałam. Kiedy było po wszystkim, lekarz dotknął mojego brzucha, a potem przyglądał się udom, sprawdzał mnie, jak szynkę, czy się dobrze uwędziła. Jęknęłam, bo bolało.

— Kto pani to zrobił? — zapytał i pochylił się nade mną, a ja złożyłam uwolnione nogi, tak jak ptak składa skrzydła. — Na miłość boską, kto panią tak urządził?

Zaczęłam płakać, płakałam i nie mogłam przestać, a on trzymał mnie za rękę na tym fotelu samolotowym, na tym najgorszym przyrządzie obnażającym wstyd i bezbronność, przykrył mnie kocem, gładził po ręce i słuchał.

— Modliłam się, żeby go nie mieć — wybełkotałam, a on dotknął mojej twarzy. — I Bóg mnie posłuchał.

— Modliłaś się o to, żeby przeżyć i żeby go nie narazić — powiedział anioł w białym fartuchu — i Bóg to wie. Wszystko jedno, jak to nazwałaś — mówił do mnie na ty, jakbym nie była dorosłą kobietą, lecz dzieckiem.

Mówił o Bogu, jakby Go znał, i wiedział o Nim więcej niż ktokolwiek.

— Nieprawda — szepnęłam.

— Prawda — powiedział i otarł mi oczy. — Tego się trzymaj, ja to wiem.

Może wiedział lepiej ode mnie, był przecież lekarzem.

— Widzisz? — gładził mnie po ręce. — Teraz jest lepiej, prawda? Prawdę poznasz po tym, że jest ci lepiej.

Było mi lepiej.

— Muszę cię skierować na oddział. Zostaniesz parę dni, trzeba zrobić badania, czy nerki są nieodbite, co on ci zrobił?

— Kopał mnie — wyszeptałam i nagle świat zaczął się poszerzać.

Zaczęłam mówić o tym, jak pierwszy raz uderzył i jak nieudolnie próbowałam skończyć ze sobą, biorąc to nieszczęsne relanium, i jak uderzył drugi raz, dziesiąty, o ręce powiedziałam i o tym, jak się kładł na mnie, bo byłam jego żoną.

A świat się rozszerzał i rozszerzał.

Nie byłam już uwięziona tylko we własnej skórze, moja skóra otaczała moje ciało, a moje ciało leżało na fotelu, a fotel był w gabinecie zabiegowym, a gabinet zabiegowy był częścią szpitala, a szpital stał przy ulicy, a ulica była w mieście, a miasto było w Polsce, a Polska była w Europie, a Europa była częścią świata, a świat był maleńką cząstką kosmosu… Rozprzestrzeniałam się niespodziewanie i zobaczyłam, że jest dzień, a nie noc, przez okno widać było gałęzie topoli, a lekarz pochylony nade mną miał czerwone znamię na prawym policzku, lekko łysiał, był piękny. Miał zmęczone oczy i łagodny uśmiech.

W jego oczach nie byłam niekompletna.

— Nie zostanę w szpitalu — powiedziałam do lekarza, którego kochałam.

— Musisz porozmawiać z psychologiem — powiedział lekarz — i musisz mieć zrobione badania.

— Nie wrócę do domu, daję słowo — powiedziałam to jak rotę przysięgi, odpowiadając lekarzowi na pytanie, którego nie zadał.

Zrobili badania, krwawe wybroczyny na obu podudziach, otarty naskórek, ślady uderzenia na prawej łopatce, śledziona niepowiększona, próg bólu obniżony, brzuch miękki, krew w moczu, zalecona obserwacja.

Dotrzymałam słowa. Nigdy tam nie wróciłam.

Zostawiłam zdjęcia, zostawiłam listy, zostawiłam książki, które lubiłam. Zostawiłam ubrania.

Wróciłam do Ciebie.

Był u mnie w pracy. Stał przed bramą, wymęczony, sarnie oczy, drżący głos, jakiż męski, jaki znany.

— Nie możesz nas skreślić, ja nie wiem, co się ze mną działo, nie pamiętam, ale przysięgam, już wszystko zrozumiałem, teraz będzie inaczej...

— To dobrze — powiedziałam. — Jeśli pozwolisz, Joasia przyjedzie po moje rzeczy.

— Oczywiście — głos mu się łamał — jeśli taka jest twoja decyzja, to ją uszanuję, ale wiedz, że kocham cię nad życie.

Ze szpitala odebrał mnie mąż Joasi. Przenieśli synka do swojej sypialni, a mnie oddali jego pokój. Teraz zasypiałam z różową panterką i dużym szarym hipopotamem, którego oddał mi Jędruś:

— Żebyś ciociu się nie bała w nocy.

I ostatnia rzecz, jaką widziałam przed zaśnięciem, to chmurki, które wymalowała Joasia na ścianie przy jego łóżku.

— Nic się nie martw, on jest szczęśliwy, że może spać u nas w pokoju — mówiła Joasia — odpocznij, potem mi wszystko opowiesz.

I potem siedziałam z nią w kuchni, Zbyszek usunął się delikatnie, zapadł przed telewizorem, przymknął drzwi, a przedtem przytulił mnie do siebie, jak dziecko. Joasia opierała głowę na dłoniach i słuchała, słuchała, słuchała. Nie mogła pojąć, że nic jej nie powiedziałam. Powtarzała tylko w kółko:

— To niemożliwe, Boże jedyny, to niemożliwe, nie wierzę, dlaczego on to robił?

No właśnie.

Dlatego, że tak. Taka jest odpowiedź. Nie ma żadnej innej.

W piątek po południu pojechała do niego, nie było jej parę godzin. Wróciła z dwiema walizkami i dużym pudłem wypakowanym moimi drobiazgami, zadzwoniła z dołu, żeby jej pomóc, Zbyszek zbiegł na dół, już był zaniepokojony, że jej tak długo nie ma.

Wróciła zmieniona.

— Hanka, czy ty się zastanowiłaś, co robisz? Wiesz, on jest w strasznym stanie, nie miałam pojęcia, że to taki wrażliwy mężczyzna, nie znałam go takiego. Nie wyobrażałam sobie, że facet tak może cierpieć. On tak pięknie mówi o tobie... Płakał prawie, pakując twoje rzeczy... Może zbyt pochopnie się zdecydowałaś? On bierze odpowiedzialność za wszystko, co złego zrobił, przecież ludzie się zmieniają...

Odwróciłam się, robiłam dla nas kanapki przy blacie, do kuchni wpadł Jędruś ze Zbyszkiem i ich głosy nałożyły się na siebie.

— Mamusiu, mamusiu, tak cię kocham, mogę jeszcze jedno jajko z niespodzianką? — krzyknął Jędruś.

— Zwariowałaś? — krzyknął na Joasię Zbyszek.

A ja się rozpłakałam.

Joasia podeszła do mnie i przytuliła się do mnie jak dziecko:

— Przepraszam — wyszeptała — teraz rozumiem, skoro jemu wystarczyły trzy godziny, żeby zrobić mi wodę z mózgu.

Na tym to właśnie polega, że tylko ty jedna widzisz dwie jego twarze, dwie osoby, z których jedna zabija, a druga przeprasza.

Na tym to właśnie polega, że to tylko ty jedna jesteś odpowiedzialna za to, co się z tobą dzieje. Z tobą, A NIE Z NIM.

Więc straciłam to dziecko, które mnie uratowało. Przed śmiercią? Lub może czymś znacznie gorszym? Ono pomogło mi znaleźć siebie, tę drugą, której szukałam całe życie i do której tęskniłam. Cały czas była obok mnie, wystarczyło ją przywołać, wystarczyło zobaczyć, że jest.

Nie boję się. Już nie.

Widzę, że jest wiosna, wiosna jest wszędzie, zakwitła grusza, ta zdziczała, co stoi za Twoim blokiem. Szpaki łażą po trawie, nic sobie nie robią z biegających psów. Na tyłach domu, tam gdzie kiedyś było pomieszczenie gospodarcze, ktoś otworzył sklepik z używanymi ciuchami. Znalazłam bardzo fajne rękawiczki, długie, bawełniane. Są po nic, ale zabawnie wyglądają, kosztowały siedem złotych.

Czereśnie będą tanie, w tym roku nic nie wymarzło, żadne najmniejsze drzewko owocowe, jest niezwykły urodzaj, najbardziej lubię te ciemnożółte, z odblaskiem różowości z jednej strony. Będę się nimi objadać.

Na widok dzieci na ulicy uśmiecham się do swojego dziecka, chociaż zdarza mi się płakać. Ale mogę płakać, ile chcę, i mogę się również uśmiechać.

Dzisiaj zresztą zobaczyłam po raz pierwszy w tym roku klucze dzikich gęsi, nie wiem, co robiły nad miastem, przecież przyleciały dużo wcześniej. One tam gęgolą dziwnie, słychać je nad Warszawą. Nie wiem, skąd wracają.

Powiedziałam Ci już wszystko. Prawie wszystko. Wszystko to, co zdarzyło się złego. Teraz nadejdzie czas na rzeczy dobre, ale o tym będziesz wiedział wcześniej niż ja.

Teraz Twoja kolej.

Jaki byłeś i czego się bałeś? O czym nie chciałeś nigdy powiedzieć? Czego się wstydziłeś?

Z czego się cieszyłeś?

Ludzie, którzy się kochają, nie powinni mieć przed sobą tajemnic.

Strach zastępuje miłość, ale to nie Twoja wina, że się bałam.

Gdzie jesteś, tatusiu? Tęsknię do Ciebie. Nie widziałam Cię w trumnie, ani w grobie. Po prostu nie dzwonisz i ja nie dzwonię. Telefon w Twoim mieszkaniu jest wyłączony, a przecież zapłaciłam rachunki. Bo Ty nie zapłaciłeś. Nie szkodzi. Numer jest łatwy, jeszcze pamiętam, choć to już dwa lata. Może kiedyś włączą. Zanim wyłączyli, to zadzwoniłam — ale nie było Cię w domu, zadzwoniłam parę dni po pogrzebie.

Twój głos oznajmił, żeby zostawić wiadomość, więc powiedziałam — to ja, tatusiu.

I że oddzwonisz. Ale nie oddzwoniłeś. Na razie.

Widziałam cię w kostnicy, ale w kostnicy każdy się może położyć. Żywy i martwy. Każdy. Stałyśmy po obu twoich stronach, z mojej strony się uśmiechałeś, ze strony cioci Zuzy nie. Zapytałam, była pewna. Ale ona odważyła się ciebie dotknąć, ja nie. Może dlatego, że się uśmiechałeś. Po co dotykać kogoś uśmiechniętego w kostnicy?

Mrożenie ciała dwadzieścia złotych dziennie.

Zapytałam:

— Nie możecie państwo wystawić? Jest minus czternaście.

Łzawe spojrzenie mężczyzny o fioletowej twarzy, ciekawe, czy zareaguje, jak zareaguje, co powie lub jaki zrobi grymas. Ale pracownik zakładu pogrzebowego, ten żywy mężczyzna o fioletowej twarzy, był jak martwy, tylko patrzył. Nic nie zrobił, nie wykonał żadnego gestu, nie drgnęła powieka, ani śladu grymasu, ściągnięcia ust na znak dezaprobaty, cienia uśmiechu — no cóż, ludzie różnie sobie radzą ze śmiercią — nic, westchnienia żadnego czy prychnięcia, pociągnięcia nosem czy ukrycia czegokolwiek. Nic.

A Ty tam byłeś jak żywy, z połową uśmiechniętą, a połową poważną, swoją prawą stroną uśmiechałeś się do mnie, a lewą byłeś poważny do tej swojej przyszywanej ciotki.

Nie widziałam, jak Cię palą, nie poszłam tam, nie wiem, gdzie to było i jak wyglądało, w co poszło, jaki ogień, o jakiej temperaturze sprowadził twój bezuśmiech i uśmiech do malutkiego naczynia, pełnego prawdopodobnie proszku lub kurzu, lub czegokolwiek, bo nie zaglądałam tam przecież, poszła tylko ciotka Zuzka.

Ale uwierzyliśmy na słowo, słowo pisane, grawerowane na małej urnie — że to Ty.

Zostało mieszkanie po Tobie, po Was, w którym nie chciałam być, a do którego wróciłam.

Mama nie chciała być spalona.

Co zrobiłeś, żeby ją zabić? Nie popatrzyłeś w prawo? Kłóciliście się? A może zapytałeś, jak zwykle, jedzie coś? A ona nie zdążyła już odpowiedzieć... Byłeś tylko nieostrożny, nieuważny, zajęty czym innym i dlatego zostałam sama?

Wiesz, do Ciebie czułam tylko złość, złość i nic więcej.

Od wtedy, od tego dnia zimowego, kiedy stałam nad Twoją urną i nad trumną mojej mamy, tylko złość. A on, mój mąż, obejmował mnie, pod-trzymywał, za łokieć łapał, i szeptał współczująco słowa, które miały być wsparciem, a które zamieniały się przy moim uchu w groźbę:

— Teraz masz tylko mnie...

Jak mogłam myśleć, że ją zabiłeś? To tak, jak-bym obwiniała ten dzień, tę godzinę, w której wsiedliście do samochodu, i ten moment, w którym kierowca tira zdecydował, że pojedzie drogą na Gdańsk właśnie o tej porze, a nie trzy minuty wcześniej lub później. Chyba musiałam znaleźć winnego.

Długo nie mogłam Ci wybaczyć. Miałam żal, że pozbawiłeś mnie i jej, i siebie jednocześnie, tak bez sensu, bez uprzedzenia, właśnie wtedy, kiedy byliście mi potrzebni...

Więc dlatego piszę do Ciebie najpierw, bo Ciebie obwiniałam, choć nie potrafiłam decydować o sobie. Tobie będzie łatwiej, mama zawsze tak bardzo martwiła się o mnie. Nie mówiłam Wam o swoim życiu, żeby Was nie zranić, i dlatego zraniłam siebie. Wybaczycie mi?

Ciocia Zuza pomogła mi przejrzeć do końca papiery. Siedziała na fotelu mamy i płakała, mimo że minęło już tyle czasu.

Gdyby nie ona, nie wiedziałabym, że stałeś pod szpitalnym oknem kliniki ginekologii i położnictwa i krzyczałeś:

— Ale tylko mi ją pokaż! Tylko mi ją pokaż, bo nie chcą mnie wpuścić!

Aż ktoś wezwał portiera, bo wtedy jeszcze nie było ochrony w szpitalach, i zapłaciłeś temu portierowi czy szatniarzowi, żeby Cię wpuścił do szpitala, dał Ci ubranie robocze elektryka, i przyszedłeś zobaczyć mnie i wziąłeś mnie na ręce i powiedziałeś:

— Jakie to szczęście, zawsze chciałem mieć dziewczynkę...

A potem położna nawrzeszczała na Ciebie, że pracownik techniczny nie ma prawa dotykać niemowląt i będziesz zwolniony, i co tu się dzieje, a Ty zbiegałeś po trzy stopnie wyjściem ewakuacyjnym i darłeś się na ulicy w stronę okna, w którym stała moja mama:

— Widziałem ją, widziałem ją!

A potem przyjechała milicja i musiałeś tłumaczyć, że nie, nie miałeś widzenia, że tym cudem byłam tylko ja, na oddziale noworodków, i piłeś z tymi milicjantami, którzy odwieźli Cię do domu...

Nie wiedziałabym też, że mama miała operację guza jajnika. Myślałam, że pojechaliście sobie beze mnie na wakacje, a Ty pojechałeś z nią do Białegostoku, tam był zaprzyjaźniony lekarz, ja zostałam

u dziadków na całe trzy tygodnie, a ona wtedy była w szpitalu, przerażona, czy ten guz jest złośliwy, czy nie, czy wróci szybko do domu, czy nie, jak da sobie radę ze mną, małą, ośmioletnią, i żeby dziadkowie nic, nigdy, bo jestem taka wrażliwa...
Guz nie był złośliwy, ale byłam taka wrażliwa...

— Twoje świadectwa, zobacz — ciotka Zuzka podała mi szarą teczkę, wiązaną jeszcze na tasiemkę. — Zawsze się dobrze uczyłaś, oni byli z ciebie tacy dumni...
I oglądałam swoje świadectwa, ułożone datami, porządnie, od pierwszej klasy, poprzeplatane rysunkami, niezdarnymi mazajami małego dziecka, nic niewartymi, kolorowe prawie koła, na każdym z tyłu napis Twoim pismem: *Hania* i data...
— Och, to ja robiłam — ucieszyła się ciocia Zuza — zobacz — i podała mi to odłożone zdjęcie, tej małej niezadowolonej grubaski i Was uśmiechniętych.
— Ale urządziłaś przedstawienie — uśmiechała się do zdjęcia ciocia Zuza — koniecznie chciałaś założyć okulary taty, a on był wobec ciebie jak wosk i oczywiście ci dał, i jak je założyłaś, to nie poznałaś się w lustrze... Ale było śmiechu co niemiara, nie mogli cię uspokoić, ale to było śmieszne, bo stałaś przed tym lustrem w przedpokoju i buzia ci się coraz bardziej krzywiła, mama chciała ci zdjąć okulary, ale nie pozwalałaś, aż się rozpłaka-

łaś z przerażenia, i widzisz — pukała w zdjęcie — już nie płaczesz, uspokoiłaś się, tylko zdziwiona jesteś... Małe dzieci są takie rozkoszne...

Przejeżdżam koło Waszego domu, widzę Wasze okna i ulicę, którą chodziłeś, drzewa, które mijałeś w drodze od autobusu, sklep, w którym mama kupowała mielone, bo tylko tam była maszynka do mięsa i mogła wybrać ten kawałek, który chciała. Widzę inne budynki, z których widać Wasz balkon, te Twoje nieszczęsne plastikowe krzesła, które miały się rozlecieć kiedyś, a które się nie rozleciały. Widzę niebo i słońce widzę, którego Ty nie widzisz. To samo, wspólne dla mnie, która jestem, i dla Ciebie, którego nie ma.

Byłam wczoraj u cioci Zuzy, biodro jej dokucza, od tygodnia nie wychodzi z domu, a niestety, nie nadaje się do operacji. Zrobiłam zakupy, posprzątałam u niej trochę, ona nie ma nikogo oprócz mnie. Jest taka samotna.

Chce, żebym wzięła pianino do siebie.

— Tak pięknie grałaś — powiedziała. — Szkoda to marnować...

Nie wiedziałam, że zostałyśmy z mamą tylko dlatego, że tam, gdzie miałeś pracę, nie było szkoły muzycznej. Dlatego przyjeżdżałeś raz w tygodniu. Żebym mogła grać. A i tak nie zostałam pianistką. Nie żałujesz?

Szkoda, że o tym nie wiedziałam...

— Co ty za bzdury mówisz — zdenerwowała się ciocia — dziecko nie może być odpowiedzialne za wybory dorosłych, dobrze, że ci nie mówili! To była ich decyzja, chcieli, żebyś miała szansę, tobie tak dobrze szło w szkole muzycznej, zresztą ojciec był tylko rok poza domem...

Mój rok bez Ciebie. Twój rok bez mamy. Wasz rok bez siebie. I Twój rok beze mnie. Ile to lat razem?

Co się stało, że przestałam chodzić do tej szkoły muzycznej? Nie pamiętam, tak jakoś wyszło... I nigdy nie mieliście pretensji...

Gdzie jesteś? Tęsknię za Tobą.

Wybaczyłam Ci, że tak mi zrobiłeś.

Może mieliście w planach coś innego, coś, o czym nie mogę wiedzieć. Coś pilniejszego, lepszego, zdrowszego, radośniejszego, bezmiernego i wiecznego. Coś, co Was bardziej pociągało. Coś, co Was uzdrowiło. Gdzieś, gdzie jesteście szczęśliwi, zdrowi, kochani.

Tak, prawdopodobnie właśnie tak zdecydowaliście.

Na pogrzebie byliśmy wszyscy. Patrzyliśmy, jak wsadzają naczynie z Twoim imieniem i nazwiskiem do środka ziemi i na trumnę, w której była mama. Nad głowami przelatywały samoloty, zostawiając białe czyste linie. To są skrystalizowane kropelki wody, lodowy szlaczek, który rozpływa się w powietrzu przedartym na pół. Było zimno i tyle. Mróz.

Najpierw ogień, potem mróz. Potem bigos w Waszym domu, posprzątanym na przyjście gości, ale nie tak posprzątanym jak teraz, wszyscy byli, a Ciebie nie było i mamy nie było.

Ani w kuchni, ani w pokoju, ani w drugim pokoju, a w łazience siedziała Basia, której było niedobrze i bolał ją brzuch. Ale Ty nigdy nie lubiłeś spędów, prawda? Więc nic dziwnego, że zostawiłeś to nam.

W Twoich dokumentach zrobiłam już porządek. Znalazłam listy w pawlaczu, nie wiem, czy mogę przeczytać.

Ciocia Zuza też nie wie. Ale mówi, że to szczęście, że razem odeszliście, bo nie znała ludzi, którzy by się bardziej kochali. I że jedno bez drugiego szybko by umarło.

Niewiele o Was wiem.

Wczoraj skończyłam malowanie dużego pokoju. Jest teraz brzoskwiniowy, nie mów mamie, nie wybaczyłaby mi tego koloru.

Tobie też pewno by się nie podobało, ale mam nadzieję, że nie masz pretensji. To już chyba wszystko.

Fotografie znajomych i Wasze schowałam. W pudełku leżą dokumenty Twoje i mamy, świadectwa, zdjęcia, listy, akt notarialny kupna mieszkania, moje włosy w pożółkłej kopercie z odręcznym pismem mamy — *pierwsze postrzyżyny Haneczki*. W szufladzie biurka (dałam je do odnowienia i jest absolutnie piękne) dokumenty mieszkania, przyjęli mnie na członka i będę płacić mniejszy czynsz, wypis z księgi notarialnej (też to załatwiłam), pismo z urzędu skarbowego o uregulowaniu podatków od spadku. Mam porządek! Lornetkę dałam Zbyszkowi, nie masz pojęcia, jak się ucieszył, powiedział, że taka poniemiecka lornetka warta jest fortunę i że daleko niesie. Pewno chodziło mu o to, że teraz wypatrzy modraszkę z dużej odległości, ma hyzia na punkcie ptaków. Mnie by się nie przydała, a poszła w dobre ręce. Wyrzuciłam meblościankę i kupiłam w sklepie kolonialnym bardzo ładną komodę, była trochę uszkodzona i dlatego tania, ale nie widać.

Wczoraj byłam z ciocią Zuzą na cmentarzu.

— Wiesz, że czasami ze mną tu przychodzili? — powiedziała, siadając na ławeczce przed Waszym grobem, ona ma miejsce obok. — Przychodzili, siadali, aż się położyli... — i rozpłakała się w tym samym momencie, w którym ja zaczęłam się śmiać, i ona wciąż ze śladami łez na policzkach śmiała się razem ze mną. A ludzie obok patrzyli na nas ze zdziwieniem i niechęcią, cmentarze nie są do śmiania, cmentarze są do płaczu.

Czuję jeszcze czasami trzepotanie, ale to nie strach, to może skrzydła, jeszcze zwinięte we mnie, jeszcze nie rozprostowane, a może to skrzydła Opiekunów, już nie boję się tego trzepotu, tylko wsłuchuję się, żeby rozpoznać, gdzie mnie prowadzi.

Przenoszę się od Joasi do Was i zaczynam wszystko od początku.
Opiekuj się moją córeczką, a swoją wnuczką.
Czuję, że to była dziewczynka.

Wkrótce napiszę do mamy. To będzie trudniejsze. Przypominam sobie, jak całowała mnie codziennie na dobranoc w czoło, nawet jak byłam nastolatką, i jak zostawiała dla mnie na talerzyku pomarańcze, obrane i rozdrobnione na cząstki. I jak siedziała w nocy przy maszynie, żeby przerobić mi spódnicę, którą kupiłam na studniówkę bez mierzenia, a która okazała się za szeroka. *Pomyśl, zanim coś zrobisz! Jesteś taka szybka, zastanów się!*
I te słowa nabierają właściwego znaczenia. Nie są wymierzone we mnie. To są słowa miłości, jak ta pomarańcza i ten codzienny pocałunek.
W poniedziałek jadę do drugiej ciotki, tak się ucieszyła, że przyjeżdżam! Jest jeszcze ona, która wie wszystko.
Nie widziałam się z nią od Waszego pogrzebu.
— Czy u ciebie, dziecko, w porządku? Twoja mama — i tu jej głos się załamał — ona zawsze się

o ciebie tak martwiła, tak chciała, żebyś była szczęśliwa, tak cię chciała uchronić przed błędami.

— Jaka była? Hanuś, przecież pamiętasz, ona tak nie chciała nikogo niczym obciążać, wszystko brała na siebie, tylko radością się dzieliła! Nawet jej nie widziałam płaczącej! Popatrz, z tych samych rodziców byłyśmy, a tak różne, ja zawsze narzekałam, a ona była taka dzielna!

Ach, więc w naszej rodzinie przepis na miłość brzmiał tak: im bardziej się o ciebie martwię, tym bardziej cię kocham.

Już nie mam o to pretensji.

Dziękuję, że jesteś moim tatą. Cieszę się, że widziałam Twoje ręce zaciskające się w pięść, kiedy powiedziałeś:

— Zabiłbym skurwysyna, gdybym wiedział.

Ty, który nigdy przy mnie nie przekląłeś.

Ale nie wiem, do jakiej szkoły chodziłeś, i dopiero z aktu zgonu dowiedziałam się, jak miałeś na drugie imię. O tyle rzeczy Cię nie zapytałam. Zdjęcia obcych dla mnie ludzi podarłam, choć wiem, że dla Ciebie może były ważne. Ale nie wiem, kto to jest Falez z Meksyku, byłeś z nim zaprzyjaźniony?

Wiele osób dzwoniło po Waszej śmierci, niektóre płakały w słuchawkę, kiedy mówiłam, że za późno dzwonią…

Nie mam żadnych zaległości, w niczym. Wiem, że to bardzo długo trwało, to porządkowanie spraw po Was, ale udawałam, że to się nie stało. A już nie chcę udawać.

Szukałam prawdy absolutnej, a prawdy absolutne wiszą w poprzek ściany i ich pajęcza nić próbuje zwabić doskonałe rozwiązania. Rozwiązania nie są podejrzliwe, nie rozglądają się na boki, nie podejrzewają pułapki, spacerują, jak gdyby nigdy nic, czasem podpełzają i same włażą w sieć, trochę się szamocą, ale bardzo to nie, raczej tak, ot, dla świętego spokoju, żeby nie było, że tak łatwo dają się prawdzie absolutnej, żeby trochę poudawać, że im to nie na rękę, potem spokojnieją. Godnie wiszą w poprzek ściany, przypominają krople rosy. Czasem któreś z nich drgnie, kiedy prawda absolutna oddycha pełną piersią. Poza tym są nieruchome i tylko odbite światło błyska w ich ciekawych oczach.

Chcę Ci jeszcze napisać, że człowiek jest stworzony po to, żeby kochać.
Jeśli nasłuchujesz, to ze wszystkich stron słyszysz odpowiedź.
Nasłuchuję. Czasem słyszę trzepot skrzydeł.
Już się nie boję.

2006–2008

Redaktor serii
Anita Kasperek

Redakcja
Paweł Ciemniewski

Korekta
Teresa Podoska, Małgorzata Wójcik, Urszula Srokosz-Martiuk

Projekt okładki i stron tytułowych
Marek Wajda

Zdjęcie autorki na okładce
Krzysztof Jarczewski

Redaktor techniczny
Bożena Korbut

Wydanie pierwsze, dodruk

Printed in Poland
Wydawnictwo Literackie Sp. z o.o., 2008
ul. Długa 1, 31-147 Kraków
bezpłatna linia telefoniczna: 0 800 42 10 40
księgarnia internetowa: www.wydawnictwoliterackie.pl
e-mail: ksiegarnia@wydawnictwoliterackie.pl
fax: (+48-12) 430 00 96
tel.: (+48-12) 619 27 70
Skład i łamanie: Scriptorium „TEXTURA"
Druk i oprawa: Zakład Poligraficzno-Wydawniczy „Pozkal"

ISBN 978-83-08-04224-3 — oprawa broszurowa
ISBN 978-83-08-04225-0 — oprawa twarda